東北大学名誉教授
日本学士院会員　小町谷操三
東北大学教授　菅原菊志
著

小町谷

商法講義

会社
(1)

有斐閣

再版のことば

一　この「商法講義」は、昭和一九年に、四巻に分けて出版したものである。それから今日まで、いくらかの訂正を加えただけで、版を重ねてきた。しかし巻一は、昭和二五年に会社法の大改正があったため、その大部分をかきかえる必要がおこった。しかもその後にも、会社法の一部改正がたびたび行われたため、新たに筆をとるひまがないまま、今日に至っている。そのあいだ、総則の部分だけ分冊をつくり、会社法の講義は、新法によって書かれた他の教科書を利用した。かつ総則の分冊も、一般に販売することをやめ、わたくしの講義をきく学生のために、非売品として分配するにとどめた。

二　二十三年も前に書いたものを、僅かばかりの修正を加えただけで、いまも使うことが許されないのは、いうまでもない。ことに、終戦後の大学教育の方法が、烈しい変更をうけたので、いまの法律学専門課程の学生のことをも考えつつ、旧版を出したのちの学説や判例の変化をみながら、新版を出すことにした。その仕事は、もちろん容易なことでない。よって、東北大学でわたくしの講義をきき、その後もひきつづき商法を専攻している、窪田宏君（神戸大学教授）、菅原菊志君（東北大学教授）、田辺康平君（中央大学教授）、本間輝雄君（大阪市立大学教授）の、協力を願うことにした。そして、窪田君は総則と商行為法（保険法を除く）と海商法とを、菅原君は会社法を、田辺君は保険法（海上保険を除く）を、本間君は手形法と小切手法を、それぞれ担当することになった。

執筆の根本方針は、商法全部にわたる教科書をかくために、各自が、貴重な時間を浪費することを、さけようということである。ゆえにこの「商法講義」は、全体としては、わたくしが旧版で述べたところを維持しつつ、それに適当な修正増補を加え、各執筆者の意見が、わたくしと著しくちがうところは、必要に応じて注記することにした。各執筆者の原稿は、全部わたくしが目を通し、かつ意見の交換をすると同時に、校正刷を他の執筆者に配布して、その意見を求める方法をとった。ゆえにこの「商法講義」は、わたくしのほか、四人の執筆者の協同作品ということができよう。

三　この「商法講義」をよむ学生諸君に、わたくしが望むことは、悉く初版のはしがきに示してある。それを改める必要は全くない。もしそれに附言することを許されるならば、新制大学における商法の講義時間が短かすぎるため、この書物にかいてあることの全部を、教室で講義することすら、甚だむずかしいこと、それゆえ、学生諸君の予習と復習とが、非常に要求されることである。

四　この会社(1)の校正については、法政大学の法学修士梅本吉彦および法学士松本由喜枝の二氏を煩わした。ここに誌して厚く謝意を表する。

昭和四三年一〇月一日

小町谷操三

はしがき

□

私は大正十三年から東北帝國大學法文學部に於て毎年商法の講義をしてきた。その長いあひだ、私は出來うる限り先輩や同僚が書いた敎科書を使用し、私としては自分の考を述べて行く方針をとつた。それは之等の敎科書がいづれも學生諸君のために、その著者の非常に貴重な研究時間を奪つて書かれたものであるのに、私が更に研究時間を敎科書のために割くのは、その著者たちの大きな犧牲を無にすることだからである。

然るに商法は手形法及び小切手法の改正についで、第一編及び第二編の廣い範圍に亙る改正を見、更に商行爲編及び海商編の條文の番號が悉く變更せられて終つたため、改正法によつて講義をして行くのには、どうしても自分で敎科書を作るよりほか方法がなくなつた。かくして必要に應じて講義の原稿の拔萃を印刷してゐるうちに、いつしか商法の全部に亙る敎科書が出來てしまつた。

□

かやうにして全部出來てみると、商法全般に亙る手頃な敎科書のない現時に於て、殊に敎科書の配給が不充分な事情の下に於ては、これを公刊することにかなり意義があると思つた。よつて一昨年の夏以來全般に亙つて修正を加へ、遂にこれを「商法講義」といふ書名を以て出版することにした。

私は最初これを上下二卷にするつもりであつたところ、頁數が豫想外に多くなつたため、印刷に取りかかる直前に豫定を變更してこれを四卷に分けることとした。且つ時局下の印刷能力を考へ、昨年の秋から始めた第三學年の講義に間にあはせるため、已むを得ず巻三の海商から印刷し、逐次手形・小切手、總則・會社、商行爲・保險の順序で出版することにした。

□

この「商法講義」は上に述べたやうに、私の講義の原稿の拔萃である。卽ち最初から學生が商法の講義を聽く場合の便宜を考へて書いてある。故にこの書物を讀む學生のうちに、『この書物のうちからどれだけを習得したらよいか』と問ふ者があるならば、私は直ちに『全部を習得せよ』と答へる。蓋し敎室で細かく說明を加へるやうな部分は、著者が既に悉く省略しておいたからである。

私は學生からしばしば、商法の敎科書がいづれも大部であるといふ歎聲を聞くのであるが、非常に條文の多い商法を、最初から僅か二三百頁の簡單な敎科書で理解しようといふ心掛が間違つてゐる。商法は我々の常識で理解出來ない多數の技術的な規定から成つてゐるから、これに一通りの說明を加へるだけでも相當の頁數を要するのである。簡單に知るといふことは一應學んだ後にいふべきことで、最初から簡易卽成を望むのは大に愼むべきことである。

□

この「商法講義」は商法について最少限を書いたものであるから、これを充分に理解するためには講義を聽くことが絕對に必要である。また聽講の自由を有しない攻學者は詳しい參考書の補助をうけなければならない。その參考書は各卷の目次の次ぎにこれを示すとともに、特に參考すべき書名は各卷の「はしがき」のうちに擧げることにする。

□

商法總論並に總則については田中耕太郎・「改正商法總則概論」、西原寛一・「日本商法論」第一卷を、また會社法については大隅健一郎・「會社法論」、田中耕太郎・「改正會社法概論」、田中誠二・「改正會社法提要」を參考することを薦めたい。なほ株式會社法と有限會社法については奧野健一外六氏共著・「株式會社法釋義」及び奧野健一外五氏共著・「有限會社法釋義」がよい參考書であることを附言しておく。

□

私はこの「商法講義」を恩師松本烝治先生に捧げる。先生からは商法総則、商行爲法、保險法、海商法を敎へていただいた。また大學院で商法の專攻をすることになつた時に最初の指導敎官になつていただいた。爾來今日に至るまで、先生からは商法の硏究について絕えず御指導をうけてゐる。その先生にかやうな拙い書物を捧げるのは甚だ申譯ないと思ふのであるが、ただいつのまにか出來上つた商法全部の敎科書を、商法の手引をして下さつた先生に見ていただきたいといふ氣持から、この擧を敢へてしたのである。切に先生の御寛恕を乞ふ次第である。

□

この卷一の校正については法學士藏元安省君及び本學部の助手法學士島津一郎君と副手代員諸君並に本學部學生岡田茂秀君を煩はした。玆にしるして厚く謝意を表する。

昭和十九年二月二十八日

東北帝國大學法文學部硏究室にて

小町谷操三

目次

第二章　合資会社

参考書

会社法に関する主要なものだけをあげる。各書名の下に〔　〕を用いた部分は、その著書の引用方法を示すものである。著者名につづく上中下または数字は各巻を示す。

小町谷商法講義の叙説番号の引用方法が総則で不統一であったから、本書以後は番号をゴヂック字体とし、番という字をつけないことにした。すなわち、例えば一〇番を単純に**一〇**として引用することにした。

新商事判例集の各条の判例にはそれぞれゴヂックの番号をつけてあるが、本書以後は普通の活字を用いることにした。すなわち、例えば、商法第一〇〇条の**五**の判例を新商判集一〇〇条五、として引用することにした。

伊沢孝平　註解新会社法（第三版）（昭三一）〔伊沢〕
石井照久　会社法上巻（商法Ⅱ）（昭四二）・下巻（商法Ⅲ）（昭四二）〔石井・上〕
石井照久編　註解株式会社法第一巻（設立）（昭二八）〔石井・註解〕
大隅健一郎　全訂会社法論上（昭二九）、中（昭三四）〔大隅・上〕
同　会社法論（昭一三）〔大隅・旧〕
同　新版会社法概説（昭四二）〔大隅・概説〕
大森忠夫　新版会社法講義改訂版（昭四三）〔大森〕
大森忠夫＝矢沢惇編　注釈会社法(2)株式会社の設立（昭四二）、(3)株式（昭四二）、(4)株式会社の機関（昭四三）、(5)新株の発行（昭四三）〔注釈(2)〕
岡野敬次郎　会社法（昭四）〔岡野〕
奥野健一他　株式会社法釈義（昭一四）〔奥野等〕
片山義勝　株式会社法論（大五）〔片山〕
同　会社法原論（大九）〔片山・原論〕
喜多川篤典　株式会社の法理（昭四一）〔喜多川〕
小町谷操三　商法講義巻一（昭一九）〔小町谷・旧〕
同　判例商法巻一（昭二七）〔小町谷・判例〕
実方正雄　改訂会社法学Ⅰ・Ⅱ（昭二六）〔実方Ⅰ〕
鮫島真男　実用株式会社法Ⅰ（改訂増補版、昭四一）、Ⅱ（昭三六）、Ⅲ（昭三七）、Ⅳ（昭四〇）〔鮫島・Ⅰ〕
鈴木竹雄　新版会社法（昭四三）〔鈴木〕
同　編　株式実務（新版）Ⅰ（昭三六）、Ⅱ（昭三六）、Ⅲ（昭三六）、Ⅳ（昭三七）〔鈴木・株式Ⅰ〕
鈴木竹雄＝石井照久　改正株式会社法解説（昭二六）〔鈴

木＝石井〕
田中耕太郎　改訂会社法概論上下（昭三〇）〔田中耕〕
同　　　　　改正会社法概論（昭一四）〔田中耕・旧〕
同　　　編　株式会社法講座第一巻（昭三〇）、第二巻（昭三一）、第三巻（昭三一）、第四巻（昭三二）、第五巻（昭三四）〔講座巻数を附加する〕
田中耕太郎著作集　第七巻　商法学―一般理論、第八巻　商法学―特殊問題上、第九巻　商法学―特殊問題中、第十巻　商法学―特殊問題下〔田中耕・著作集巻数をローマ字で附加する〕
田中誠二　会社法詳論上（昭四三）、下（昭四三）〔田中誠・上、下〕
　　　　　新版会社法（五全訂版）（昭四二）
田中誠二＝吉永栄助＝山村忠平　コンメンタール会社法最新版（昭四三）〔田中誠＝吉永＝山村〕
西原寛一　会社法（商法講義Ⅱ）（昭三二）〔西原〕
野津　務　新会社法上巻改訂版（昭三一）、下巻（昭二八）〔野津・新〕
服部栄三　訂正会社法提要（昭三一）〔服部・提要〕
同　　　　三訂会社法原理（昭四三）〔服部・原理〕
松田二郎　新会社法概論（昭三二）〔松田〕
同　　　　株式会社の基礎理論（株式関係を中心として）（昭一七）〔松田・基礎理論〕
同　　　　株式会社法の理論（昭三七）〔松田・理論〕
松田二郎＝鈴木忠一　条解株式会社法上（昭二六）、下（昭二七）〔松田＝鈴木忠〕
松波仁一郎　改正日本会社法（三版大九）〔松波〕
松本烝治　日本会社法（昭二）〔松本〕
同　　　　会社法上巻（大一三）第二巻（大一四）
同　　　　註釈株式会社法（昭二三）〔松本・註釈〕

雑　誌

会社法判例百選〔百選〕

外国の主要な参考書

American Bar Foundation, *Model Business Corporation Act Annotated*, 3 vols, 1960.
Ballantine, *On Corporations*, 2nd ed., 1946.
Baumbach-Hueck, *Aktiengesetz*, 13. Aufl., 1968.
Brodmann, *Aktienrecht*, 1928.
Buckley, *On the Companies Acts*, 13 th ed., 1968.
Fletcher, *Cyclopedia of the Law of Private Corporations*. permanent ed.,
Gadow-Heinichen, *Aktiengesez*, Grosskommentar, 2. Aufl., 2 Bde., 1957, 1962.

Godin-Wilhelmi, *Aktiengesetz*, 3. Aufl., 2 Bde., 1967.

Gower, *Modern Company Law*, 2 nd ed., 1957.

Hallstein, *Aktienrechte der Gegenwart*, 1931.

Hamel et Lagarde, *Traité de droit commercial*, t. 1, 1954.

J. Escarra, E. Escarra et Rault, *Traité théorique et pratique de droit commercial. Les societes commerciales*, 3 vol. 1950–55.

Lehmann, *Das Recht der Aktiengesellschaften*, 2 Bde., 1898, 1903.

Magunus and Estrin, *The Companies Act 1967*.

Moreau, *La socété anonyme*, 3 vol. 2e éd., 1954.

Oleck, *Modern Corporation Law*, 5 vols. and index, 1958–60.

Palmer's *Company Law*, 20th ed., 1959.

Pennigton's *Company Law*, 2 nd ed., 1967.

Pic et Kréher, *Das sociétés commerciales*, t. 1 et 2, 3e éd., 1940, 1948, t. 3, 2e éd., 1926.

Ripert-Roblot, *Traité élémentaire de droit commercial*, tome 1, 6e éd., 1968.

Schlegelberger-Quassowski, *Das Aktiengesellschaft*, 3. Aufl. 1939.

Staub's *Kommentar zum HGB.*, Bd. I u. II, 14. Aufl., 1932, 1933.

Steiger, *Das Recht der Aktiengesellschafts in der Schweiz*, 3. Aufl., 1966.

Stevens, *On Corporations*. 2nd ed., 1949.

Teichmann-Koehler, *Aktiengesetz*, 3. Aufl., 1950.

Trouillat, *Le droit nouveau des sociétés commerciales*, 1967.

Wieland, *Handelsrecht*, Bd. I, 1921, Bd. II, 1931.

Würdinger, *Aktien- und Konzernrecht*, 2. Aufl. 1966.

会社

第一部 総論

第一章 緒論

第一節 会社の経済的機能

一 企業を営む者は、その企業の種類が何であろうとも、ことごとく、利益の獲得を目的として、資本と労力とを投ずるものである。しかもその企業者は、企業の利益ができるだけ大きく、損失ができるだけ小さいことを欲する。そして、個人企業の場合には、企業の利益がすべてその個人に帰属する点に、大きな長所があるけれども、その企業に投下できる資本は、自分の所有するものに限られるし、利用できる労力も、その者自身の、またはせいぜい、家族の労力に限られる。もちろん、消費貸借および雇傭契約によって、他人の資本と労力とを利用できるけれども、それには常に、企業者個人の資本と信用だけによるという制約がある。しかも損失は、ことごとく個人企業者の負担に帰する危険がある。

かような理由から、企業はおのずから共同企業に発展してゆく。けだし、数人の者（共同企業者）が、資本または労力もしくはその両方を出資して、企業を経営すれば、それだけ企業の規模が大きくなるから、大きな利益をあげることができるとともに、万一、損失を生じても、共同企業者がこれを分担するため、危険の分散ができるからである。そしてこれらの長所は、共同企業者の数が多ければ多いほど、ますます顕著になる。共同企業のなかには、会社のほかに、組合（民六六七以下）および匿名組合（商五三五以下）がある（八参照）。しかしこの二者は、資本と労力との結合の点で、ある程度の効用をもっているだけで、規模の大きい企業には適しない。これがおのずから、会社という共同企業体を、発展させることになるのである(一)。

一　総則四および、矢沢編・現代法と企業（現代法9）、渡辺編・現代法と経済（現代法7）参照。

このような会社の効用は、その種類によって差がある（九参照）。すなわち、実質的には個人企業の共同経営にほかならない合名会社や合資会社は、労力の結合に重点がおかれて、資本の結合や危険の分散に、多くを期待できないのに反し（商八〇参照）、資本団体である株式会社は、資本の結合にも、危険の分散にも、大きな効用を発揮する。ゆえに株式会社は、会社の種類のなかで、最も発達した形態のものであり、かつ現代における大企業の典型的な形態である。

このように、会社制度は、経済発展の基礎となり、特に株式会社制度は、近代資本主義の発達に貢献し、今日の国民経済において、最も重要な地位を占めている(二)(三)。しかし、会社は本来、その構成員（社員）の私的利益の追求を目的とする団体であるため、社員は自己の利益だけを考えて、他人の利益を犠牲にしがちである。すなわち、企業の内部において、一部の社員が他の社員の利益を、また社員が従業員や企業外の第三者（会社債権者・公衆）の利益を、犠牲にする弊害を生じやすい。そこで、企業の社会的公共的性格を強調する考えが、主張されるに至っている(四)。

二　株式会社の現代における発展が、いわゆる株式会社封建制度を現出していることにつき、Berle and Means, *The modern corporation and private property*, 1932, p. 356; Hamilton, Harv. L. Rev. vol. 55, 1942, pp. 551, 554; Ballantine, *On corporations*, p. 40 *seq.* 参照。

三　会社、特に株式会社の歴史的研究について、大塚久雄・株式会社発生史論参照。会社の経済的研究について、上田貞次郎・株式会社経済論、同・株式会社論、増地庸治郎・株式会社、国弘員人・株式会社論参照。

四　このような考えは、ドイツのラテナウ (Rathenau, Von Aktienwesen, 1918) の提唱した「企業自体」(Unternehmen an sich) の理論に現われ、また類似の考えが、アメリカのドッド (Dodd, For whom are corporate managers trustees? Harv. L. Rev. vol. 45, 1932, p. 1145) によっても主張されている。企業自体の理論について、大隅「株式会社法における企業自体の思想」株式会社法変遷論二四一頁以下参照。

第二節　会社法の地位と特色

二　会社法は、会社という共同企業の主体の組織に関する法である。詳言すれば、会社法は一方において、会社の種類と、その種類に属する会社の組織とを、定めるとともに、他方において、各種の会社に関する諸種の法律関係を定める法律である。言いかえれば、会社の組織や、設立から清算に至るまでの法律関係、すなわち、社員相互間の関係、社員と会社との関係、社員と第三者との関係を、定める法律である。

会社法は、このような法律関係を定めたものであるから、大部分は、私法的法規から成っている。しかし、その実現を保障するために、若干の公法的法規を含んでいる。会社に関する訴訟、および非訟事件に関する法律、ならびに制裁に関する罰則が、それである(五参照)(一)。

一　鈴木・四頁以下参照。独占禁止法を会社法に含めるか否かについて、学説が分かれている(含める説、大隅・上三頁。なお西原・商法講義I九頁参照。他の経済統制法とともに、商法の外におく説、鈴木・四頁以下)。われわれは後説をとる。

1　会社法は、一方において共同企業に法人格を認めるとともに、他方において、その共同企業のなかで、特定の組織を有するものに、さらに責任の制限を認める法律である。詳言すれば、共同企業者は、共同企業によって、労力および資本の充実と危険の分散という、二つの目的を達成できるけれども、企業を独立させることによって、さらに多大の利益を享受できるから、その共同企業の法人化を要求する。けだし、企業が法人格を取得すれば、その企業は、企業の所有者を離れて権利義務の主体となり、取引上においても、訴訟手続上においても、はなはだ便利だからである。わが商法および有限会社法が、会社を法人としたのは、実にこのためである(商五四Ⅰ 有一Ⅱ)。

企業者はまた、危険の分散を欲すると同時に、責任の制限を希望する。そして共同企業により、損失の分担額を決することは、相対的に責任制限の一つの方法であるけれども、第三者に対しては、法律に規定がないかぎり、その責任を制限することができない。しかも企業の拡大に伴う危険の増加により、共同企業者は、当然に、第三者に対しても、責任の制限を対抗できる方法を求める。しかも、これを認めることが、かえって企業を助長する結果になる。ゆえに法は、特定の条件の下に、共同企業者の有限責任を認める制度を、設けることになるのである(一)。

一　小町谷・イギリス会社法概説(昭和三七年)一四頁以下参照。

2　会社法は、共同企業の主体の組織に関する法律である。詳言すれば、会社法は、会社の種類と各種の会社の組織とを規定すると同時に、会社を中心として生ずる諸種の法律関係、すなわち、会社の設立、組織、解散、清算、社員相互間の関係、社員と会社との関係、社員と第三者との関係を規定したものである。

ゆえに会社法は、商法総則と同一種類の法律であって、企業主体の活動に関する法、すなわち商行為法と、その性質を異にする。そして会社の法律関係には、商法総則の規定が大規模に適用されるのである。

3　会社は、企業者が案出した、合理的な共同企業組織であるから、商取引のうちで、会社が行ないえないものは一つもない。いな、あらゆる商取引は、むしろ会社によって最も大規模に経営されるといえよう。加うるに、商取引の或種のものについては、法が、会社に限りこれをなしうることにしている（例えば、鉄道運送、保険、銀行）。ゆえに、会社法の商法上の地位は、はなはだ重要であって、民法上の法人の地位に比べて、いちじるしい差異がある。

4　会社は、営利の目的を合理的に達成するために、設立されるものであるから、法律上は法人であるけれども、実質的には、各社員の営利の目的を達成させる手段にすぎない。この点において、会社は公益法人、協同組合、相互保険会社などと、その性質を異にする。

会社の窮極の目的は、営利にあるから、会社法は、一方において、社員が、その本来の目的を達成できる道を、講じなければならない。しかし他方において、各社員の個々的利益の保護のみをはかるときは、全体の統制が破壊され、一般社員に不利益を及ぼすのはもちろん、ひいては、当該社員の利益を害するおそれがある。ゆえに会社法は、企業の維持と、各社員の利益保護とをはかる任務を有する。

会社法は、会社の内部関係につき、上述のような任務を有するばかりでなく、外部に対する関係においても、企業を維持する任務を有する。詳言すれば、現代商取引における会社の活躍は、日を追ってその度を高めているから、会社企業の健全な発達は、会社債権者にも利害関係がある。ことに今日の商取引において、最も重要な役割を演じている株式会社においては、会社債権者が重大な利害関係をもっている。けだし、株式会社は、社債の発行によって、公衆の会社事業に対する間接の投資を求めるのみならず、日々に大量かつ巨額の信用取引をするから、その破産が、公衆の経済に大きな影響を及ぼすからである。加うるに、株式会社は多数の商業使用人を使用するから、株式会社の解散は、たちまち無数の失業者を出すからである。

ゆえに会社法は、企業の維持につき、万全の策を構じ、ことに株式会社においては、会社の計算（商二八一以下）、整理（商三八一以下）、社債権者集会（商三一九以下）、会社の被用者の保護（商二九五）などについて規定すると同時に、会社が不幸にして解散した場合においても、会社財産の合理的清算を可能にするため、特別清算の制度(商四三一以下)を設けている。

株式会社は、国民経済と最も重大な関係をもっているから、その設立の時からすでに、堅実な地盤の上に立つことを要する。ゆえに株式会社法は、会社の一生を通じてつねに干渉的であり、その規定はおおむね強行法である。この点において、取引自体に関する商行為法が、徹底的に契約自由の原則を認めるのと、著しい対照をなしている。加うるに、株式会社は、国民経済との密接な関係のゆえに、必然的に公共的性質を帯びるため、公的な監督を強くうける特色をもっている。

第三節　会社法の沿革

三　わが国の会社法の沿革は、商法典制定以前のものと、以後のものとに、分けることができる。

1　前　史　わが国の会社法および会社制度は、明治維新後、わが国における封建制度の崩壊と、経済制度の資本主義化にともない、他の商事制度とともに、それ以前の商事制度および商事慣習法と全く無関係に、外国の法制を継受して、成立したものである(一)。

(一)　福島正夫「日本資本主義の発達と私法(一―九完)」法律時報二五巻一号―五号、七号、九号―一一号参照。日本商法典の成立に関しては、志田鉀太郎・日本商法典の編纂と其改正(昭和八年)、西原寛一「近代的商法の成立と発展」法学理論篇85(昭和二八年)六一頁以下参照。特に株式会社法の変遷について、矢沢編・現代法と企業(現代法9)六五頁以下(北沢「所有と経営・支配の分離とわが株式会社法の発展」)参照。

2　明治二三年の旧商法の制定　ロェスレルが明治一七年(一八八四年)に発表した日本商法典草案にならって作られた旧商法が、明治二三年(一八九〇年)に公布せられたところ、その第一編(商の通則)第六章(商事会社及び共算商業組合)が、会社法に関する規定(六六条ないし二六四条)を含んでいた。そしてその会社法が、法典施行延期に伴う偶然の事情により、明治二四年(一八九一年)一月一日から、明治三二年（一八九九年）の商法の実施の時まで、施行された（いわゆる旧商法である）（総則九参照）（一）。

一　旧商法の商事会社は、商事会社総則（六六条—七三条）、第一節合名会社（七四条—一三五条）、第二節合資会社（一三六条—一五三条）、第三節株式会社（一五四条—二五五条）、第四節罰則（二五六条—二六四条）から成っている。会社の設立につき、すでに準則主義をとるとともに、免許を要する会社については、法律または命令が別に規定することを示している（六八条）。なお第六章中の共算商業組合（二六五条—二七三条）は、当座組合と匿名組合とを規定したものである。

3　明治三二年の商法の制定　明治二六年に設置された法典調査会（一）が、旧商法に対する一般社会の批評を斟酌して立案した草案が、明治三二年に議会を通過したので、同年六月一六日から、いわゆる新商法として施行された（明治三二年三月九日法律四八号により公布、商施附則一四六条により施行）。

一　梅謙次郎、岡野敬次郎、田部芳の三氏を委員にあげて新草案の起草に当らせ、かつ志田鉀太郎、加藤正治の両氏に、それを補助させた（商法修正案参考書参照）。

4　明治四四年の改正　新商法が施行されてから一〇年たち、いろいろと適用上の疑問が生じてきた。加うるに、その後の経済の発展に適合しない点が目立ってきた。とりわけ日露戦争（明治三七—八年一九〇四—五年）後には、多くの泡沫会社が現われたため、株式会社の欠陥が痛感された。よって、明治四四年（一九一一年）商法全体にわたる、かなり大きな改正（二〇〇余条から成り、会社編では一〇〇条以上の改正が行なわれた）が行なわれ、同年一〇月一日から施行された（明治四四年法律七三号）（一）。

一　法律新聞社編・改正商法理由（明治四四年）、松本・商法改正法評論（明治四四年）、毛戸・商法改正法評論（明治四四年）参照。

5　昭和一三年の改正と有限会社法の制定　第一次世界大戦により、わが国の経済は飛躍的に発展し、商取引が活発に行なわれた。そして企業、特に株式会社企業の集中強化が顕著になった。そのため、明治四四年の改正商法が、この新しい経済事情に即応できなくなった。そして諸種の新しい問題に対して、しばしば無力であり、かつ、株式会社の企業が生み出す諸種の弊害の防止ができなくなった。そこで、再び商法を改正するため、昭和四年法制審議会が設置され、総則および会社法の改正要綱を作成し、これによる改正草案が昭和一三年（一九三八年）に議会を通過し（昭和一三年法律七二号）、同時に成立した有限会社法（昭和一三年法律七四号）とともに、昭和一五年一月一日から施行された。この改正の特色は、これまでの会社法が、純然たるドイツ法系の立法であったのに対し、英米法に由来する若干の制度（後配株、議決権なき株式、転換社債、整理、特別清算）を採用したことと、新たに有限会社制度を採用したことである。

この改正により、商法の条文数がほとんど倍加し、しかも全く新しい配列方法をとったため、実際上は、商法典の総則編および会社編の全面的改正といってよいほどである（一）。

一　司法省民事局編・商法中改正法律案理由書（総則・会社）（昭和一二年）、田中耕・改正商法及有限会社法概説（昭和一四年）、奥野健一他・株式会社法釈義（昭和一四年）、同・有限会社法釈義（昭和一六年）参照。

6　昭和二五年の改正　昭和二〇年八月、第二次世界大戦に敗れたわが国は、連合国の管理下に入り、あらゆる分野において民主化が進められた。そして経済民主化政策の一環として、財閥の解体および過度経済力集中の排除が行なわれ、独占禁止法（昭和二二年法律五四号）が制定されて、持株会社が禁止され、株式保有が制限を受けることとなった。これは、株式の分散を促進し、企業の所有と経営との分離をますます顕著にした。昭和二三年には、従来訴訟が多く、その欠陥が指摘されていた株式分割払込制度が廃止され、株式全額払込制度が採用された。これにともなって、会社資金調達の便宜をはかるため、アメリカで行なわれている授権資本制度と無額面株式制度の採用を、自発的に検討することとなったところ、GHQによる株主の地位の強化の要求があり、結局、株式会社法の全面的改正に発展した。その改正法は、昭和二五年（一九五〇年）に成立し（昭和二五年法律一六七号）、昭和二六年七月一日から施行された（昭和二六年法律二一〇号）。それは企業の所有と経営の分離に即応して、取締役の権限の拡大、取締役会制度・代表取締役制度の設置、取締役の責任の厳格化をはかるとともに、株主総会の権限の縮小、個々の株主・少数株主の地位の強化をはかっている。また従来ドイツ法系に属していたわが国の株式会社法に、非常に多くのアメリカ法の制度が採用された（一）。

一　鈴木＝石井・改正株式会社法解説（昭和二五年）、大隅＝大森・逐条改正会社法解説（昭和二六年）、矢沢＝鴻「会社法の戦後の展開と課題、昭和二五年改正」法学セミナー一九六八年一月号二頁以下、同・会社法の展開と課題（昭和四三年）。

このほか、公的監督の強化により、投資者の保護をはかるため、昭和二三年に制定された証券取引法（昭和二三年法律二五号）が、特に大規模な株式会社に適用され、商法のいわば特別法的な機能をはたしている(二)。

二　鈴木「証券取引法と株式会社法」講座一巻三五一頁以下、鈴木＝河本・証券取引法（法律学全集五三巻）二七頁以下参照。

7　その後の改正　株式会社法はその後、昭和三〇年、三七年および四一年にも改正されている。

昭和三〇年の改正（昭和三〇年法律二八号、同年七月一日施行）は、新株引受権に関する昭和二五年改正法の実施によって現われた法の不備を除くことを、中心としたものである。

昭和三七年の改正（昭和三七年法律八二号、同三八年四月一日施行）は、株式会社の計算規定の改正が中心であって、企業会計原則を大幅にとり入れ、期間損益計算を可能にし、会計規定の近代化をはかったものである。そのほか、登記事務の簡素化、および会社事務の簡便化を目的とする規定をも含んでいる。

昭和四一年の改正（昭和四一年法律八三号）は、一つは外資導入に関連したもので、議決権の不統一行使、転換社債の転換期間、および新株引受権の譲渡などが含まれ、他の一つは、実務上の不都合の是正解決に関するもので、株式の譲渡制限、買取引受、記名株式の交付による譲渡と不所持制度、および額面株式・無額面株式相互間の変更などが含まれている(一)。

一　鈴木・大隅等「商法の一部改正」ジュリスト二九九号五八頁以下、三四八号三四頁以下、味村・改正株式会社法（昭和四二年）参照。

第四節　各国の会社法

四　わが国の会社法に最も関係の深い外国会社法だけを、あげることにする。

1　ドイツ　一八九七年の商法（Handelsgesetzbuch: HGB.）が、合名会社（offene Gesellschaft）および合資会社（Kommanditgesellschaft）について規定している（一〇五条―一七七条）。また一九六五年の株式法（Aktiengesetz）が、株式会社（Aktiengesellschaft）および株式合資会社（Kommanditgesellschaft auf Aktien）について規定している。そのほか、一八九二年の有限会社法（Gesetz betreffend die Gesellschaften mit beschränkter Haftung）が、有限会社（GmbH.）について規定している(一)。

(一) ドイツ会社法について、大隅=国蔵「会社法」(現代外国法典叢書・独逸商法Ⅰ)、大隅=八木=大森「株式法」(同上Ⅱ)、大隅「有限会社」(同上Ⅳ)、一九六五年の新ドイツ株式法について、河本「新ドイツ株式法の概略」商事法務研究三六九号二頁以下、三七〇号一一頁以下、その訳について、法務省民事局・ドイツ連邦共和国株式法(昭和四一年)、八木=河本=正亀「ドイツ株式法邦訳」神戸法学一五巻三号以下参照。

2　フランス　一九六六年の商事会社法(Loi du 24 juillet 1966 sur les sociétés commerciales)は、合名会社(société en nom collectif)、合資会社(société en commandite simple)、有限会社(société à responsabilité limitée)、株式会社(société anonyme)および株式合資会社(société en commandite par actions)について規定している(一)。

(一) 一九六六年のフランス新商事会社法について、山本桂一「フランス商事法研究資料—最近におけるフランス会社法改正—」法協八三巻五号、七・八合併号、八四巻一号、同・一九六六年フランス商事会社法(法務資料三九八号)参照。

3　イギリス　一九六七年の会社法(Companies Act)は、株式有限会社(company limited by shares)(これが一般的である)、保証有限会社(company limited by guarantee)および無限会社(unlimited company)(後二者は実際上稀である)を認めている。株式有限会社は、いわゆる公募会社(public company)と私会社(private company)とに分かれ、前者は、わが国の株式会社に該当し、後者は、わが国の有限会社に該当する(一)。このほか、組合(partnership)については、一八九〇年の組合法(Partnership Act)と一九〇七年の有限責任組合法(Limited Partnerships Act)とがあり、有限責任組合は、わが国の合資会社に似ている。

(一) イギリス会社法に関するわが国の文献として、小町谷・イギリス会社法概説、星川・英国会社法序説(昭和三四年)、本間輝雄・イギリス近代株式会社法形成史論(昭和三八年)、一九六七年の改正については、星川「一九六七年イギリス改正会社法の概要」法律時報三九巻一四号一一二頁以下参照。

4　アメリカ　アメリカ合衆国には、会社に関する連邦法がなくて、各州が個別的に会社法をもっている。したがって、その内容が種々である。もっとも、アメリカ法曹協会の会社法委員会の編纂により、一九四六年に Model Business Corporation Act(一九五三年以降数回改正された)が作られ、これを基礎として、新しい会社法を制定した州が一〇州以上に及んでいる(一)。

(一) アメリカの会社法につき、ジェニングス=北沢編・アメリカと日本の会社法(昭和四〇年)参照。

第五節　会社法の法源

五　会社法の法源、すなわち会社を規律する法の最も主要なものは、商法第二編「会社」の規定と、有限会社法の規定とである。有限会社法は、特別法の形をとっているが、それは、もっぱら立法の便宜によるものであって、実質的には、商法第二編の規定と同質のものである。会社法の法源には、さらに多数の特別法令がある(一)。このほか定款も、会社に加入する者を、すべて当然に拘束する規則から成っているから、会社法の重要な法源と解すべきである(田中誠・上二〇頁、西原・五頁、大隅・上一〇頁、大森・六頁、服部・提要三頁)。

一　例えば、担保附社債信託法（明治三八年法律五二号）、企業担保法（昭和三三年法律一〇六号）、社債等登録法（昭和一七年法律一一号）、会社の配当する利益又は利息の支払に関する法律（昭和二三年法律六四号）、資産再評価法（昭和二五年法律一一〇号）、株式会社の再評価積立金の資本組入に関する法律（昭和二六年法律一四三号）、株式会社以外の法人の再評価積立金の資本組入に関する法律（昭和二九年法律一〇号）、企業資本充実のための資産再評価等の特別措置法（昭和二九年法律一四二号）、会社更生法（昭和二七年法律一七二号）、株式会社の貸借対照表及び損益計算書に関する規則（昭和三八年法務省令三一号）などが、会社の特殊の事項に関する主要な例である。

そのほか金融機関に関する銀行法（昭和二年法律二一号）、その他の特別法があり、また特殊の会社企業に関する法として、例えば、保険業法（昭和一四年法律四一号）、地方鉄道法（大正八年法律五二号）などがある。また、証券取引法（昭和二三年法律二五号）および私的独占の禁止及び公正取引の確保に関する法律（昭和二二年法律五四号）のなかにも、株式会社に関する若干の規定がある（ただし、二注一参照）。非訟事件手続法（明治三一年法律一四号）、商業登記法（昭和三八年法律一二五号）および商業登記規則（昭和三九年法務省令二三号）のなかにも、会社に関する規定が含まれている。

六　適用の順序　会社に関する法律関係は、第一に、各会社の定款の規定、第二に、会社に関する特別法令の規定、第三に、商法第二編または有限会社法の規定の適用をうける。そして、以上の三者に該当するものがない場合に、会社に固有な慣習法の適用をうけ(商一)、それすらない場合に、条理の適用をうける(明治八年太政官布告一〇三号、裁判官事務心得参照)。

ちなみに、民法の法人に関する規定（民三三―八四）は、第三三条、第三五条、第三六条を除き、もっぱら公益法人に関する規定であるから、会社には適用がない。ただし、私法人一般に共通な性質をもっている規定（例えば民四三）は、特に準用条文がない場合でも（商七八Ⅱ、一四七、二六一Ⅱ、四三〇Ⅱ、有三二、民四四、五四）、会社に類推適用することを妨げない。

第二章　会社の意義

七　わが国の現行法上、会社とは、商行為その他の営利行為を、業として行なうことを、目的とする社団法人であって、商法または有限会社法の規定によって、設立されるものをいう（商五二、有一）。

1　会社は、商法または有限会社法の規定によって設立されるものである。会社の設立につき、法は準則主義をとるとともに（一）、その準拠法を、商法または有限会社法としているから、会社として法人格を取得するためには、必ずこの二つの法律のどれかによって、設立しなければならない。公法人および公益法人は、民法の規定によって設立されるものであるから、会社ではない。ただ営利行為をすることによって、商人となることがあるだけである（商四）（総則三〇）。

2　会社は社団法人である（商五二、有一Ⅰ）（一）（二）（三）（四）（五）。ゆえに、会社は二人以上の社員によって組織されることを要する。殊に株式会社は、その設立の確実を期するため、設立のときすでに七人以上の社員がなければならない（商一六五）。そして会社は、原則として二人以上の社員が常に存在することを、その存続条件とするけれども（商九四4、一四七、有六九Ⅰ5、なお民六八Ⅱ2参照）、株式会社だけは、社員が一人になっても、当然には解散しない（商四〇四1参照）。これは、発行した株式の総数が、一人の所有に帰しても（いわゆる一人会社）（六）、その株式が再び数人の所有に属することがしばしばあるから、企業維持のため、一つの例外を認めたものである(七)。

一　商法も有限会社法も、定義としては『社団法人』と規定しないで、『社団ヲ謂フ』と規定している。しかし別途に、会社は『之ヲ法人トス』(商五四Ⅰ、有一Ⅱ)と規定しているから、結果において社団法人であることになる。そして、わが国で社団と組合との関係について、激しい学説の対立(注二参照)を見る一つの原因は、右の点にあると思われる。

この学説の対立は、物的会社については問題がなく、結局、合名会社や合資会社、すなわち、人的会社の性質論になるのであるが、それらの学説は、最初は、二人の社員から成る人的会社を議論の対象としながら、議論が進むにつれて、多数の社員から成る人的会社を、対象とすることになるのであって、全くちがった土台の上で議論をしている嫌がある。

二人の社員から成る団体は、わが国の法律においては、組合契約によって結合するものがありうるとともに、もし欲するならば、社団形式で結合することも、認められているのである。いずれの形式をとるかにより、法律の取扱上、著しい差異が生ずるのであって、その差異は、どの学説もが、法人と組合との差異を論ずるところで、一致して認めることである。

要するに、社団と組合とは、鈴木竹雄博士の言われるように、明確に区別すべき概念である。ただ博士は『団体が社団形式をとるのは、構成員相互の関係を処理するための法的形式の問題である』と説いて居られるが(鈴木・八頁)、それだけではなく、その団体が取引する第三者との関係を処理するための、法的形式の問題でもあるのである。

菅原は、次の理由で、商法第五二条にいう「社団」を、広く人の団体という意味に解する立場をとる。会社は複数の人の結合体であるが、その結合の態様は、会社の種類によって必ずしも同じではない。人の団体には、団体の独立性が比較的うすく、各構成員の個性が重要視されるものと、団体の独立性が強く表面に出て、構成員の個性がむしろその背後に退いているものとがある。法学上、団体をその団体性の強弱により、社団と組合とに区別することがある。このような区別に従うと、株式会社の実体をなす団体は、社団の範疇に属し、合名会社や合資会社の実体をなす団体は、組合の範疇に属するものといえる。しかし、商法第五二条にいわゆる「社団」とは、このような組合と対立する意味に用いられたものではなく、右にいう組合と社団とを含めた、広く人の団体という意味で用いられているものというべきである。

二　鈴木「会社の社団法人性」会社法の諸問題―松本古稀記念―五七頁以下、松田「会社の組合性と社団性」商法の基本問題―田中耕還暦記念―二〇一頁以下、喜多川「社団法人性の再検討」法協七〇巻三号七四頁以下、七一巻一号四七頁以下、西原「株式会社の社団法人性」講座一巻三三頁以下、殊に四二頁以下参照。

イギリスで、会社が法人格を、次いで責任の制限を認められるまでの沿革が、会社の法人性を考える場合に、頗る参考になる（小町谷・イギリス会社法概説四頁以下参照）。

三　株式会社について、わが国に財団法人説（八木・株式会社財団論、高田源「株式会社の財団化」九大法学部創立三十周年記念論集参照）と、第三種法人説（服部・株式の本質と会社の能力五五頁）とがあることを注意しておく。

四　元来法人格は、団体の法律関係を単純にするための法技術にすぎないから、どのような団体に法人格を認めるかは、もっぱら立法政策の問題である。したがって、団体性の濃厚な社団だけでなく、団体性の稀薄な組合にも、法人格を与えることができるとともに（商五四Ⅰ参照）団体性の濃厚な社団的結合体でも、実定法上、法人格を認められないものが存在するのである（権利能力なき社団）。

五　ドイツ法は、株式会社および有限会社についてだけ、法人格を認めている。そのため、合名会社および合資会社は、法人格のない組合であると解されている（ドイツの通説）。しかし、ヴィーラントは、株式会社組合説（Wieland, *Handelsrecht*, Bd. I, S. 396―434）をとっている。その紹介と批判について、西原「株式会社の社団法人性」講座一巻五〇頁以下参照。

フランス法は、わが国と同様に、会社にことごとく法人格を認めている（一九六六年商事会社法五条）。

六　一人会社について、喜多川・株式会社の法理（昭和四一年）四八頁以下、小町谷・イギリス会社法概説二八頁参照。

七　会社とその社員との人格は、法律上別個のものである。しかし、法が特定の社団または財団に、法人格を与えるのは、それが、社会的に有用な機能を担当し、そうすることが、公共の利便に適するからである。

この点に着眼して、法人格が濫用される場合に対処する理論が、現われつつある。この理論は、その法人の存在を全面的に否認することなく、特定の事案についてだけ、その法人の衣を剝いで、法人格がないのと同様な取扱を、しようとするものであって、いわゆる法人格否認の法理 (disregard of the corporate fiction or corporate personality) である。そしてアメリカでは、この理論がすでに学説と判例とにより、広く認められている。なお、大隅「法人格否認の法理」会社法の諸問題一頁以下、同「会社の法形態の濫用」民商三五巻六号一頁以下、蓮井「会社の独立性の限界」広島大学政経論叢七巻三号四号、八巻一号三号、加美「会社法人格の限界と否認」私法二四号一五〇頁以下参照。

ごく最近には、大型油槽船 Torrey Canyon の海難事故をめぐり、いわゆる便宜置籍船を利用する会社の取扱が、国際的な問題を提起している。この点につき、小町谷・海上保険法各論四・六六八頁および同所引用文献参照。

近時、わが国でも、下級審の判決が、法人格否認の理論を認めるに至った（熊本地八代支判・昭和三五・一・一三・下級民集一一巻一号四頁、新商判集1二五条五四、千葉地判・昭和三五・一・三〇・下級民集一一巻一号一九四頁、新商判集1五四条六）。

3　**会社は営利行為を業とする目的を有するものである**　商法は会社のうちに、商行為を業とする目的を有するもの（商事会社）（商五二Ⅰ）と、その他の営利行為を目的とするもの（民事会社）（商五二Ⅱ）とを認めた。これは、商法が商行為を中心としている結果である。しかし、民事会社も会社とみなされ（商五二Ⅱ）、かつ、商人とみなされるとともに（商四Ⅱ末段）、その行為に、商行為に関する規定が準用されるから（商五二三）、この区別には実質的な意義がない。なお、民事会社には、営利の目的のほか、これを業とする目的があることを要する。ちなみに、有限会社法は、商行為その他の営利行為をなすを、業とする目的を有するものを、有限会社と認めたから（有一）、商法のように、煩雑な立法をする必要を見なかった（一）。

一　公益的事業を営む社団（例えば非営利的病院を経営する社団）、または社員に対する経済的協力を目的とする社団（例えばカルテルの機関会社）は、定款に営利の目的の記載があれば、現実にこれをしなくても、会社になる、という説がある

（大隅・上一七頁、田中耕・上三三頁）。前者を会社と解するのは、商法第五八条第一項第二号に抵触する。ただかかる会社が、解散命令を受けないで活動している場合に、第三者の利益を保護するため、これを会社として取扱う必要を生ずるだけである（商四Ⅱ末段参照）。また後者は、間接に営利の目的を達成しているとともに、会社の目的の範囲に属する行為をなすものとして、会社たる性質を有するものである。

右の問題について判例は、医業を目的とする株式会社が、内部関係において、事業の経営を他人に一任し、賃借料だけを収受しても、終局的に利益が社員に帰属する以上は、会社の本質に反しないものとした（大判・昭和元・一二・二七・民集五巻九〇六頁、新商判集1五二条　一二五）。八木「営利法人性」百選一〇頁参照。

国家または市町村などの公共団体も、営利事業（例えば、鉄道、電車、バスの運送営業、電気またはガスの供給事業）を営むことがあるけれども、この事業は、これらの法人の本来の目的でなくて、その手段にすぎないし、またその事業から生じた利益を、団体員に分配するものでないから、その法人は会社にならない。ただ商行為を業とする場合に、商人資格を取得するだけである（商四）（総則三〇）。

八　会社と区別すべき制度

1　組　合　組合は、各当事者が出資をして、共同の事業を営むことを約束する契約である（民六六七）。組合契約は、その実質において、合名会社に酷似しているが法律上は異なる。すなわち、(a)組合は契約であるにすぎないのに、会社は法人である（商五四）。この点で、組合と会社とは、法律上いちじるしい差異がある。詳言すると、会社は権利義務の主体となるけれども、組合では、各組合員がその主体である。(b)会社は商人であるけれども、組合は商行為を営む場合でも、商人ではない。組合員の全部が商人になるのである（商四）。(c)会社の財産は、会社が所有者であって、社員には、所有権がない。これに反し、組合の財産は組合員の共有（正確には合有）に属する。(d)社員は原則として（商八〇参照）会社債権者に対し、直接に債務を負わないに反し、組合員は常に組合の債務を直接に負担する。(e)会社には、会社と社員との関係があるけれども、組合には、組合と組合員との関係がなく、組合員相互間の関係があるだけである。(f)会社には行為能力があるに反し、組合にはそれがない。

2　匿名組合　匿名組合は、当事者の一方(匿名組合員)が、相手方(営業者)の営業のために、財産の出資をし、営業者がその出資者に営業から生ずる利益を分配することを、約束する契約である(商五三五)。この点において、法人である会社と全くちがう。匿名組合は、実質的には、営業者と匿名組合員との共同事業であるが、法律的には、営業者だけの単独事業である。ゆえに、対外的には、営業者だけが権利義務の主体になるのであり、営業者の信用だけで、事業が行なわれるわけである。しかし対内的には、匿名組合員が事業の監視権をもっていると同時に(商五四二、一五三)、営業者と匿名組合員との相互の信頼関係が重視せられるのである(商五三九、五四〇2・3参照)。

3　協同組合・相互保険会社・会員組織の取引所　協同組合は、中小企業者または消費者が、その事業または経済的地位の発達向上をはかる目的で組織する団体であって、現在は、中小企業等協同組合、農業協同組合、水産業協同組合および消費生活協同組合の四種があり、いずれも法人である(中協四I、農協五、水協五、消協四)。その事業および組織ともに、株式会社に類似するところが多く、特に中小企業等協同組合は、商法の会社に関する多数の規定の、準用をうけている(中協四二、五四、六九)。

相互保険会社は、社員の相互保険、すなわち同種の危険の下にある多数人が、結合して醵金し、実際事故にあった者に、それによって生ずる財産上の需要の、満足を与えることを目的とする社団法人である。その組織は、株式会社に非常に似ていて、保険業法により、株式会社に関する商法の多数の規定の、準用をうけている(保険三九II、四二、五四、六〇、六二、六七、七三、七六)。

会員組織の取引所は、会員が売買取引をなすため、有価証券市場または商品市場を開設することを、目的とする社団法人である(証取八〇、一〇七、商取三、七)。その組織は会社に似ている。

以上1ないし3に掲げた社団は、いずれも、営利を目的とするものでないから、会社でも商人でもない。

第三章　会社の種類

九　会社は、区別の標準のきめ方によって、いくつかの種類に分けることができる。すなわち、(1)その組織形態により、合名会社、合資会社、株式会社および有限会社に、(2)社員と会社との関係により、人的会社と物的会社に、(3)目的により、商事会社と民事会社に、(4)国籍により、内国会社と外国会社に、(5)準拠法により、明治二三年の旧商法上の会社、特別法上の会社および商法上の会社に、分けることができる。

1　合名会社、合資会社、株式会社、有限会社　わが国において設立する営利会社は、特別法がある場合を除き、必ずこの四種中のいずれかを選択しなければならない(民三三)。そして、合名会社は無限責任社員だけで(商八〇)、合資会社は無限責任社員と有限責任社員とで(商一四六)、株式会社は引受価額を限度とする有限責任を負う株主だけで(商二〇〇Ⅰ)、有限会社は出資口数の金額を限度とする有限責任を負う社員だけで(有六、一七)、それぞれ組織する会社である。

これらの会社の区別は、いずれも、社員の責任の態様の差異によって生ずるのであって、その責任の分類に従うと、合名会社の社員と合資会社の無限責任社員との責任は、直接無限責任であり、合資会社の有限責任社員の責任は、直接有限責任であり、株式会社の株主ならびに有限会社の社員の責任は、間接有限責任である。会社は法人であるから、社員の責任は、法律的に言えば、間接責任を本則とし、特別の規定がある場合に限って、直接責任を負うことになるのである(商八〇、一四七)。しかし、経済的にいえば、社員は直接責任を負うのが本則であるべきものである。

2　人的会社と物的会社　これは、社員と会社企業との関係の、親疎の程度を標準にして認められた、学問上の区別である。社員と会社企業との関係は、(a)社員の会社業務に関与する程度、会社の意思の決定方法、社員たる地位の移転の難易、退社の許否、解散事由、(b)社員の出資の種類と責任の程度および性質、会社財産維持の程度、破産の事由、清算の方法、(c)社員相互間の関係の認否、およびその程度の厚薄など、会社の内外の法律関係全般にわたって現われている。それらの関係において、社員の個性と会社企業との関係が、濃厚なものを人的会社といい、稀薄なものを物的会社という。

人的会社では、各社員が、原則としてみずから会社の経営に参与するとともに、会社債権者に対して重い責任を負担する。その結果、人的会社においては、社員相互間の人的信頼関係が必要であるし、また債権者に対する関係では、社員の人的信用が重視される代わり、会社財産は比較的に重要性をもたない。

典型的な人的会社である合名会社をとって見ると、その全社員が、会社債権者に対して、直接連帯無限の責任を負うとともに(商八〇)、それに対応して、各社員は、当然に会社の業務を執行し、会社を代表する権限と義務とを有する(商七〇)。すなわち、社員の全員が、会社企業の所有者であると同時に、その経営者である。ゆえに、社員の個性および相互の信頼関係が重視され、その交替が頗る困難であって(商七三)、社員の数がおのずから制限される。

物的会社では、社員が重要事項の決定に、総会を通じて参与するだけで、各社員には、単独で、当然に会社の業務執行にあたる権限も義務もない。そして直接には、会社に対して有限の出資義務を負担するだけである。

典型的な物的会社である株式会社をとって見ると、株主は、その有する株式の引受価額を限度とする出資義務を負うだけで(商二〇〇)、会社債務に対しては、全く責任を負わない。他方において、株主としては、当然に会社の業務を執行する権限がない。かつ定款で、取締役の資格を株主に限定することもできない(商二五四Ⅱ)。株式会社においては、このように、企業の所有と経営とが、すでに規定のうえで分離している(一)。したがって、株式会社では、社員の数がおのずから多数にのぼると同時に、相互間の信頼関係は全然ない。かつ対外的にも、社員の個性が全く問題にならないで、会社の財産だけが、もっぱら、会社の信用の基礎になる。ゆえにまた、会社財産の維持が強く要求される(商二八一以下、ことに二九〇参照)。

一　北沢「株式会社の所有・経営・支配」矢沢編・現代法と企業(現代法9)五八頁以下参照。

人的会社と物的会社との間に現われる、以上のような差異は、相互に因果関係をもっている。すなわち、企業の所有と経営とが、密接な関係を有する場合(例えば、業務執行)には、社員の外部に対する関係が密接である(例えば、無限責任)。また社員の外部に対する関係が稀薄である場合(例えば、有限責任)には、企業の所有と経営との関係も稀薄である。そして、企業の所有と経営とが密接な場合には、社員相互の関係も密接であるに反し、企業の所有と経営との関係が稀薄である場合には、社員相互の関係も疎遠である。

要するに、合名会社と株式会社とは、上述の差異が極端に現われている両極に存在するものであって、その中間に、合資会社と有限会社とが介在する。そして、合資会社は、人的会社の性質の強い中間型態であり、有限会社は、物的会社の性質の強い中間型態である。

3　商事会社と民事会社　この区別はすでに述べた(3七)。

4　内国会社と外国会社　これは、いずれの国の法律によって設立した会社であるかによる区別である。そして日本法に準拠して設立した会社が内国会社であり、外国法によって設立した会社が外国会社である(通説)。かつその会社は、法人であることを要しない。外国会社には、原則として、わが商法および有限会社法の適用を見ないのであるが(商五二、有一)、日本に本店を設け、または日本で営業をすることを、主たる目的とする会社は、外国法によって設立したものであっても、内国会社と同一の規定に服しなければならない(商四八二、有七六)。これは、脱法的行為を防止する必要があるためである。

5　一般法上の会社と特別法上の会社　これは、国内の準拠法による区別である。すなわち、商法または有限会社法によって設立した会社を一般法上の会社といい、特別法によって設立した会社を特別法上の会社という。その特別法には、特定の会社だけを目的として制定されたもの(一)、特定の種類の営業を目的とする会社に共通のもの(銀行法、信託業法、保険業法、地方鉄道法等)とがある。

(一)　この種の会社を一般に特殊会社と呼び、法の特殊な制約をうける。この種の会社は、今時の大戦中に、国家監督の強化のため、あるいは国家信用の支援のため、拓殖事業、金融業、電気事業などの分野において多数利用されたが、法人に対する政府の財政援助の制限に関する法律(昭和二一年法律二四号)の施行の結果、現在では、僅かに東北開発株式会社(昭和一一年法律一五号)、国際電信電話株式会社(昭和二七年法律三〇一号)、電源開発株式会社(昭和二七年法律二八三号)、日本航空株式会社(昭和二八年法律一五四号)、石油資源開発株式会社(昭和三〇年法律一五二号)、北海道地下資源開発株式会社(昭和三三年法律一五七号)および中小企業投資育成株式会社(昭和三八年法律一〇一号)があるだけである。

第四章　会社の設立

一〇　意　義　会社の設立とは、営利を目的とする社団法人を創設する手続をいう。およそ会社を設立するためには、(a)定款の作成、(b)社員およびその出資の確定、(c)会社の機関の設置、ならびに、(d)設立の登記という一連の手続を必要とする。その手続は、会社の種類によって差異があるから、各種の会社について、それぞれ後に述べることとし、ここでは、会社の設立に関する立法主義と、設立手続の性質と、設立登記とについて述べる。

一一　立法主義　会社の設立については、自由主義、特許主義、免許主義、準則主義の四つを考えうる。しかし自由主義は、取引の安全保護に欠ける所があり、特許主義と免許主義とは、取引の安全を確保するけれども、設立が困難であるため、会社の発達を阻害する。ゆえに、わが商法および多数の立法例は、準則主義をとっている。この主義によれば、会社は、法律が定めた設立の要件（例えば定款作成、設立登記など）をみたせば、当然に成立すると同時に、わが商法においては、それに法人格が認められる（商五四Ⅰ）（一）（二）。

一　わが国では、いわゆる特殊会社（九5注一参照）だけが、例外的に特許主義によるものである。

二　公共の利益に重大な関係がある事業（例えば、銀行・信託・保険・鉄道・倉庫）を営む若干の種類の会社については、事業の開始に主務官庁の認可を要するが、これは、理論的には、会社設立の要件でないから、免許主義による会社に属しない。ただ、認可がなければ、事業の開始ができないため、解散するほかないから、実際的には免許主義の会社に近いものである。

一二　設立手続の性質　設立手続に関する規定には、会社に権利能力を付与するものと（商五四、五七）、会社の構成要件に関するものとがある。そして後者は、株式会社の募集設立において最も複雑である（商六二、一四七、有五、商一七四以下参照）。

会社の構成要件を具備させるために行なう手続を、設立行為といい、その性質につき、大体において契約説、合同行為説、単独行為説が対立している（一）。しかし会社の設立手続は、各会社によって異なり、しかもその各手続が完了した時に、会社の成立を見るのであるから、これを一つの概念で説明しようとするのは妥当でない。この点は、株式会社の募集設立について、ことにそうである。ゆえに、各会社の各設立手続ごとに、それぞれ、その性質を決定して行くべきである。そして各会社の設立手続の出発点になっている、定款の作成行為についてこれを見れば、その行為は、同一目的のために、共同になされる行為であるから、合同行為であって契約ではない。

一　松本「入社契約論」「会社設立行為性質論」私法論文集二巻一一七頁以下、六一三頁以下、同・商法解釈の諸問題一八一頁以下、一六三頁以下、野津「会社設立と入社行為」会社法の諸問題—松本古稀記念—一六七頁以下、松田・株式会社の基礎理論（昭和一七年）二六八頁以下参照。

一三　設立登記

1　会社は、設立登記によって成立する（商五七、有四）。理論的には、登記がなくても、その他の設立手続が完了したかぎり、会社の実体が成立するわけであるが、法は手続調査の便宜と、第三者保護の目的とから、登記を要求し、かつ、これをその成立要件にすらしたのである。

2　登記手続　登記手続は、商業登記法が詳細に規定している（商登五五、七四、八〇、九五）。しかし商法および有限会社法も、左の諸点について規定している。

(a)　登記の場所　設立登記は、本店の所在地においてしなければならない（商五七、有四、但し商六四Ⅱ、一四七、一八八Ⅲ、有一三Ⅲ参照）。

(b)　登記期間　人的会社については制限がない。これに反し、物的会社については、法定の時期から二週間である（商一八八、有一三Ⅰ、なお商六一、有四参照）。そして右期間を徒過した理事者は、過料の制裁をうける（商四九八Ⅰ1、有八五Ⅰ1）。

(c)　変更登記　設立登記後に、登記事項の変更があった場合には、法定期間内に、その登記をしなければならない（商六五—六七、一四七、一八八Ⅲ、有一三Ⅲ）。そしてその懈怠に対する処罰は、(b)の場合と同様である。

(d)　登記の効力　設立登記によって、まず会社が成立するとともに（創設的効力）（商五七、有四）、会社は商号権を取得し、株式会社にあっては、さらに株式引受の無効または取消に対する制限を生ずる（附随的効力）（商一九一）。

第五章　会社の構造

一四　社員

1　会社は社団法人であるから(2七)、その構成員として、社員が存在しなければならない。すなわち、社員は会社の存在の基礎である。しかも会社は、社員が営利の目的を追求する手段であるから、この点において、他の一般の社団とちがった特色をもっている(公益社団法人における社員の地位につき、川島・民法総則一一六頁以下参照)。

会社には、原則として、二人以上の社員があることを要する。しかし株式会社では、一方において、七人以上の社員があることを、その成立要件とすると同時に(商一六五、一六九)、他方において、その存続には一人の社員があれば足りる(商四〇四1参照)。また、有限会社では、社員の数が原則として五十人以下に制限されている(有八)。

社員になる資格には、原則として(例外、商五五、有四、独禁法九―一一、一四)制限がない。自然人はもちろん、法人(会社たると会社以外の法人たるとを問わない。)も、その目的の範囲内において、他の会社の社員になることができる。

2　**社員権**　社員は、会社の構成員として、会社に対し、種々の権利(例えば、議決権、利益配当請求権、残余財産分配請求権など)をもち、かつ義務(例えば、出資義務)を負っている。これらの権利義務は、社員たる地位(資格ともいう)に基づいて発生するものであって、その権利を社員権という(大隅・上三六頁、鈴木・七三頁、石井・上一一七頁、大森・三〇頁。ほぼ同旨・田中誠・上二〇九頁、服部「株式の本質」講座二巻三八八頁)(一)。社員の権利は、それが会社自身の目的遂行のためのもの(共益権)(例えば、議決権、業務執行権)と、社員個人の利益のためのもの(自益権)(例えば、利益配当請求権)とからなる(二)。

一　社員権論について、服部「株式の本質」講座二巻三六九頁以下、同・株式の本質と会社の能力一頁以下、同「社員権論」株式の本質と会社の能力七一頁以下、田中耕「わが国における社員権理論」商法研究二巻一五五頁以下、著作集8八一頁以下、同「独逸における社員権理論」商法研究二巻二七五頁以下、著作集8一四五頁以下、松田・株式会社の基礎理論(昭和一七年)二五頁以下参照。

二　服部・前掲講座三八二頁以下、松田「株主の共益権と自益権」株式会社法研究三頁以下、八木「株主の自益権と共益権」株式会社財団論八五頁以下参照。

近時、共益権の性質が、自益権と異なる点に着眼して、社員権なる概念を否定しようとする説(社員権否認論)が現われている。その説は、共益権を、社員が社員たる資格において有する権利ではなく、機関の資格において有する権限にすぎない、と断定して、共益権の権利性を否定したり(田中耕・七一頁以下)、あるいは、共益権を国家における公権に比すべきものであると説いて、それは権利であると同時に権限としての性質を有すること、および権利としては、社員の一身専属的な人格権であると主張する(株式債権説)(三)。いずれも、性質の異なる自益権と共益権とを、包括する社員権なる概念を、認めえないとするものである。

三 松田・三九頁以下、同・株式会社の基礎理論六二—五頁、実方・Ⅱ二一五頁、二三七頁、二五〇頁以下。なお八木・株式会社財団論五三頁以下は、株式債権説の徹底化を説いている。

社員権否認論は、共益権の行使によって追求される利益は、個人の利益ではなく、団体自体の利益であることを要する、という考えから出発し、共益権は、社員のいわゆる固有権(四)に属せず、団体によって剝奪ないし制限ができるものである、という結論に到達しようとするものである(五)。

四 その社員の同意をえないで、定款または総会の決議をもつて、剝奪制限することのできない権利(田中耕「固有権の理論について」商法研究二巻三三三頁以下、著作集8一八五頁以下参照)。

五 鈴木・七二頁以下参照。株式債権説の意義について、服部「株式の本質」講座二巻四〇六頁以下、同「株式の債権的構成」株式の本質と会社の能力四一頁以下参照。

しかし、社員が営利を追求する手段である会社においては、社員の共益権も、社員自身の利益のための権利たる性質を有するのであって、自益権と本質的に異なるものではない。ただ共益権は、その性質上、その行使の効果が団体全体に及び、かつ他の社員の利益に直接関係することが多いため、社団法的拘束を受けざるをえないだけである(六)。したがって、社員たる地位すなわち社員権は、自益権のみならず、共益権をも包含するものと解すべきである(七)。

六 鈴木「共益権の本質」法協六二巻三号一頁以下、大隅「いわゆる株主の共益権について」会社法の諸問題—松本古稀記念—一四五頁以下、石井・上一一八頁以下。株式債権説の立場からする反論について、松田「社員権否認論に反対する新説について—鈴木教授の所論に対して—」株式会社法研究九三頁以下参照。

七 共益権と自益権の区別に反対する説として、川島・民法総則一一六頁以下参照。

3 社員資格の得喪　社員たる資格は、原始的には、会社の設立または設立後の入社によって取得され、承継的には、相続、包括遺贈、合併および当事者間の譲渡によって取得される。社員たる資格の喪失は、絶対的には、会社の消滅、社員の退社(商八四以下、一四七)、株式または持分の消却(商二一二、有二四I)によって生じ、相対的には、当事者間の譲渡などによって生ずる。

社員の資格の取得について、人的会社の社員と物的会社の社員との間に、著しい差異があることは、すでに述べた(2九)。

一五 機 関 会社は法人であるから、その行為は、第三者(原則として自然人であるが、法人であることを妨げない。ただし争がある。)の現実の行為を通じて実現するほかない。この第三者を、会社の機関と呼ぶのであって、それは、会社の意思能力と行為能力との基礎になるものである。換言すれば、会社は、機関によって意思能力を有し、その結果として行為能力を有することになるのである(一)。

(一) 一部の学者は、法人に権利能力だけを認め、行為能力を否定し、法人は代理人によってのみ行動しうる無能力者にすぎないと説く。この説によると、機関は法人の法定代理人にほかならないことになる。

法人理論について、川島・民法総則八七頁以下、機関論について、田中耕「機関の観念」商法研究二巻三九九頁以下、著作集8 二二五頁以下、服部「機関概念と社員概念」株式の本質と会社の能力一一四頁以下、柳瀬「ギールケの機関論」法学三一巻一号一頁以下、同「イエリネクの機関論」法学三一巻二号一頁以下、同「ケルゼンの機関論」法学三一巻三号一頁以下参照。

会社の機関は、会社の組織の一部を構成するものであるから、会社の代理人とはちがう。代理人は、会社の外部にあって、これと対立する別個の人である(ただし、代理に関する民法および商法の規定は、すべて機関の代表行為に準用される。例えば商七七II、七八参照)。

会社の機関は、人的会社について分化していないに反し、物的会社については分化している。けだし、物的会社特に株式会社は、その規模が大きく、社員の数が非常に多いのが普通であるため、機関の分化がなければ、会社の合理的活動を期待できないからである。

会社の機関には、その構成員が一人の場合と、二人以上の場合とがある。後の場合において、機関構成者の意思を、決議によってきめることが要求されるとき、これを合議体の機関という（例えば、商七二、九八、二三〇、二六〇、有二六、三五参照）。

一六　社員と機関　機関は、会社の活動の基礎であるから、欠くことのできないものである。しかし機関の活動は、必ずしも社員によることを要しない。ゆえに、社員の資格と機関の構成員になる資格とは、別個のものであって、機関の構成員は、その会社の社員であることもあり（自己機関）、社員以外の者であることもある（第三者機関）。そして、人的会社においては、社員の資格が、法律上当然に、機関の構成員の資格を伴っている（企業の所有と経営との結合）（商七〇、七六、一五一）ところ、物的会社、特に株式会社においては、株主総会を除き、社員の資格が、法律上当然に機関の構成員たる資格を伴っていない（企業の所有と経営との分離）（特に商二五四II、二八〇参照）（一）。

一　この問題につき、大隅「会社の機関としての社員」会社法の諸問題一四一頁以下参照。

第六章　会社の能力

第一節　会社の権利能力

一七　私法上の権利能力　会社はすべて法人であるから、もちろん、自然人と同じく一般的権利能力をもっている。しかし会社の特別権利能力、すなわち、会社が現実に享有し、または負担することのできる個々の権利義務について、法は、会社の設立から消滅までの間において、その範囲に差異を設けるとともに（商一一六、一四七、四三〇I、有七五I）、特定の場合に、権利能力を制限したり（商五五、有四）、人的会社については、その目的の範囲外の事項につき、権利能力を与えたり（商七二、一四七）している。けだし、特定の権利能力は、法が一定の事実に基づいて、自由にこれを附与するものだからである(一)。

一　会社の能力一般につき、上柳「会社の能力」講座一巻八五頁以下、服部「会社の能力」株式の本質と会社の能力一一二頁以下参照。

1　法令による制限　法人格は、法律によって与えられるものであるから、法人の権利能力が、法令の制限に服するのは当然である（民四三参照）。そしてわが法では、会社が他の会社の無限責任社員になることを禁止している（商五五、有四。なお独禁九ー一一参照）。

判例は、この制限を、会社の本質によるものと解している（大判・大正五・一一・二二・民録二二輯二二七二頁、新商判集１五五条一）(一)。しかし理論上は、会社が他の会社の無限責任社員となりえない理由はない。ただ法は、会社が他の会社の無限責任社員になって、その全財産を他の会社の事業の運命にまかせるのは、立法政策上望ましくないという考えから、かような制限を設けたにすぎない(二)。

一　名古屋控訴院は、この考えを承継して、会社は、他人の名義をもって自己のため、その計算において、合名会社に加入し、間接に無限責任社員となることもできないと判決した（名古屋控判・大正八・七・八・新聞一六一二号一三頁、新商判集１五五条三）。

二　田中誠・上四八頁。結論同説、大隅・上二五頁。ただし、この規定の立法上の当否に疑いをいだくものとして、大隅・上二五頁、西原・一九頁、大森・一八頁、上柳「会社の能力」講座一巻八九頁参照。

2　性質による制限　会社は、その性質上、もちろん、自然人の性質に基づく権利義務（例えば、生命権、身体上の自由権、親権扶養を受ける権利、相続権）を、享有することができない。しかし、会社にも遺贈をうける権利や、いわゆる人格権（名誉権・商号権など）がある(一)。

一　会社の信用の毀損に対しては、金銭的な賠償のほか（最高判・昭和三九・一・二八・民集一八巻一号一三六頁、新商

判集2補遺五二条一)、謝罪広告による信用回復措置も請求できる（東京地判・昭和三〇・七・一一・最高裁民集一八巻一号一六八頁、下級裁民集六巻七号一三九七頁、新商判集前掲二)。

会社は、代理人となりうるのはもちろん、株式会社の発起人(商四九参照)(大判・大正二・二・五・民録一九輯二七頁、新商判集1五二条一七七)、取締役(田中誠・上四四〇頁、大隅・上八九〇頁、大森・二〇二頁、反対・菅原、鈴木・一三六頁、石井・上三〇二頁、松田・一七九頁、服部・二一四頁、上柳「会社の能力」講座一巻八九頁)、監査役、検査役、清算人になることを妨げない。問題はただ、そのような場合が、事実上まれであると思われるだけである。ただし、支配人は商人と雇傭関係に立ち、かつ人的個性が重視されるため、会社は支配人になりえない(通説)。

3　目的による制限　会社の権利能力の範囲が、定款に定めた目的(商六三1、一四八、一六六I1、有六1)によって制限されるか否かについては、争いがある(一)(二)。従来の通説(いわゆる制限肯定説)によれば(松本・四二二頁、田中耕・五八頁以下、伊沢・五頁、石井・上二四頁、松田・二六頁、実方・I四一頁)、民法四三条が、会社にも類推適用され、会社の目的の範囲外の行為は無効である。かつ、その無効は、会社からも相手方からも主張できる(鈴木・一二頁は、会社からの無効の主張が制限されると解しえないであろうかとする)。判例も同じ立場である(判例については、大隅・後掲総合判例研究叢書商法(2)五頁以下、新商判集1五二条四以下参照)。もっとも、判例は最初、会社の権利能力の範囲を、定款に目的として記載してある事項(いわゆる目的条項)に、厳格に限定する立場であったところ、しだいに広く解釈する傾向になり、ついに、目的条項の達成に必要な行為をも含むと、解するに至った(大判・大正六・一二・二五・民録一八輯一〇七八頁、最高判・昭和二七・二・一五・民集六巻二号七七頁、新商判集1五二条六・一〇)。ちなみに、制限肯定説をとる学説の多くは、目的の達成に必要または有益な行為のほか、その目的に反しないかぎり、一切の行為ができると解している。

これに対して、最近の有力説(いわゆる、制限否定説)(田中誠・上五一頁、西原・二一頁、大隅・上二七頁、大森・一九頁、服部・九頁、上柳・講座一巻九四頁。鈴木・一二頁も実質的にこれに近い)は、会社の能力は、定款所定の目的によって制限されない、と解する立場をとっている(ただし、大隅・上二七頁は、営利の目的によって制限されるとする)。その理由は、会社の活動範囲が実際上非常に広いこと、会社の目的がなんであるかを確かめることが煩わしいこと、その確認がしばしば困難であるため、取引の安全を害するとともに、会社に責任免脱の口実を与えやすいこと、会社は公益法人とちがって、取引の安全を犠牲にしてまで、会社の保護をはかる必要がないこと、民法第四三条を会社に準用する明文の規定がないことなどを理由として、反対の立場を主張している。

しかし、会社の目的は、社員が出資をなす目標であり、また会社と取引をする第三者(例えば、社債権者)の目標でもあって、これらの者の信頼利益を保護する必要がある。ゆえに、もっぱら当面の取引の安全保護だけしか考えない反対説は、とることができない。

要するに目的条項は、これを文理的に解すべきではなく、その記載から、通常推論しうるものを含ませなければならない。けだしそうでないと、会社は結局、その目的を達成できなくなるからである。しかし、判例および通説のように、目的条項の解釈を、甚だしく自由にすることは、必ずしも正当でない(詳しくは、小町谷・イギリス会社法概説七七頁以下参照)(三)(四)。

一　この問題につき、小町谷・イギリス会社法概説六四頁以下、西島弥「会社の目的外の行為について」法と政治三巻二・三合併号一頁以下、田中誠「会社の権利能力の目的による制限の否定論」会社法研究一三九頁以下、同「会社の目的外の行為と改正会社法」同一六〇頁以下、大隅「会社の権利能力の範囲―とくにその目的による制限」総合判例研究叢書商法(2)五頁以下、石井「会社の権利能力―目的による制限を中心として」法協七六巻二号一六九頁以下、上柳「会社の能力」講座一巻八九頁以下、同「定款記載の目的と会社の権利能力」学説展望（ジュリ三〇〇号）一八三頁以下、高鳥「会社の能力の目的による制限」民商四七巻四号五〇二頁以下、竹内昭「会社法における Ultra Vires の原則はどのようにして廃棄すべきか」アメリカ法（一九六五年）二〇頁以下参照。

二　イギリス法につき、小町谷・前掲、松木「英法に於ける法人の能力外（Ultra Vires）行為の理論」民商六巻二号、三号、アメリカ法につき、上柳「アメリカ株式会社法における Ultra Vires 理論」京大商法研究会・英米会社法研究二三二頁以下、竹内昭「目的による能力制限（UltraVires）の原則」ジェニングス＝北沢編・アメリカと日本の会社法一頁以下、ドイツ法につき、中西正明「ドイツ法における株式会社の能力と目的」香川大学経済論叢二八巻五号参照。

三　これに関する具体的問題につき、松本「営利会社の慈善事業に対する寄附」商法解釈の諸問題一四一頁以下、富山「株式会社のなす献金」民商四七巻三号三七四頁以下、五号七一四頁以下、六号八九六頁以下、鈴木「政治献金判決について」商事法務二七八号二頁以下、同

「取締役の会社に対する責任」百選一二〇頁、服部「会社の政治献金」商法の判例八四頁参照。

四　菅原は、本文所掲と同一の理由により、制限否定説に賛成する。この説のなかにも、会社の名においてなされた行為が、定款所定の目的の範囲外にあることを知って取引した第三者と、会社との間の法律について、代表権の制限違反の行為の効力に関する法則（商二六一Ⅱ、七八、民五四参照）による説（田中誠・上五六頁、大隅・上二七頁、大森・一九頁）、相手方の権利濫用の法理（民一Ⅲ）による説（田中誠・上五六頁）、代表権の濫用に関する法理により、一般悪意の抗弁を対抗しうるとする説（上柳・講座一巻九五頁、一〇一頁）などがある。けれども、菅原は、定款所定の目的は、会社機関の権限の内部的制限にすぎないと解すると同時に（大隅・上二七頁）、代表機関の越権行為については、一般原則（商七八Ⅱ、民五四、商二六一Ⅲ、有三二）に従って、解決すべきであると考える。

一八　当事者能力および公法上の権利能力　会社は、法人として権利能力を有するから、民事訴訟法上、および刑事訴訟法上の当事者能力を有する。また請願権（請願法二）、訴願権（訴願法七Ⅱ）などの、特定の公権を有するとともに、納税のような公法上の義務を負担する。さらにまた、犯罪能力をもっている（例えば、鉄道船舶郵便法一九）（一）。

一　田中誠・上五九頁。通説および判例は、現行法の解釈として、否定的立場をとっている。大隅・上四一頁、大判・昭和五・六・二五・刑集九巻四三三頁など。新商判集1五二条一九三以下参照。

第二節　会社の行為能力

一九　行為能力　会社は法人であるから、意思能力および行為能力をもっている（通説）（一）。すなわち、会社は代理によらないで、機関を通じて行為をする能力をもっている。もっとも実際の取扱においては、代理人の行為と機関の行為とを分けて、それぞれ別個の規定を設けるまでもないから、法は便宜上、代理に関する規定を、特別の規定がないかぎり、会社の機関の代表行為に準用している（商七八Ⅱ、一四七、二六一Ⅱ、民五四、五七）。

一　近時、法人の行為能力という観念を否認し（川島・民法総則一二二頁）、あるいは、疑問視し（上柳・講座一巻一〇三頁）、または、法人の権利能力と行為能力とを区別する必要を認めない説（服部・株式の本質と会社の能力一二一頁以下）が現われてきている。

二〇　不法行為能力　会社には意思能力があるから、不法行為能力もあることになる（通説）(一)。法は、会社はその機関がその職務を行なうにつき、他人に加えた損害を、賠償する責に任ずる旨を定めている（商七八Ⅱ、一四七、二六一Ⅱ、有三二、民四四Ⅰ）。これは、不法行為能力を有する会社自身の、不法行為に基づく責任を定めたもので、自明のことにすぎない。しかし、会社の行為が常にその機関によってなされるところから、疑を避けるために設けられた規定である（通説）。なお、機関の構成員自身もまた、もちろん、不法行為上の責任（民七〇九、商二六六ノ三）を、負わなければならない。

会社の使用人の不法行為については、民法（民七一五）および商法の特別規定（例えば商六九〇）により、会社の責任の有無と内容が決せられる。

一　少数説は、法人の不法行為能力という観念を否定し、民法第四四条は、機関の不法行為につき、法人に無過失損害賠償責任を負担させたものと解している（川島・民法総則一二八頁、服部・株式の本質と会社の能力一三三頁、一五〇頁、上柳・講座一巻一〇六頁、本間輝雄「会社の不法行為能力」私法二四号一四三頁以下）。

二一　訴訟行為能力　会社には、行為能力があるから、訴訟行為能力もあると解すべきである（民訴四五、五八、刑訴二七参照）。

第七章　会社の解散

二二　会社の解散とは、会社の人格を消滅させる原因となる事実である。この事実があると、会社は、合併の場合を除き、清算手続または破産手続の終了によって消滅する。

会社の解散事由は、会社の種類によってちがうから、法は各種の会社につき、各別に解散に関する規定をしている。そして総則には、解散命令について規定するだけである。

二三　解散の効果　会社に解散事由が生ずると、合併の場合を除き、各種の法律関係の清算（例えば、債権の取立、債務の弁済、残余財産の分配。商一二四Ｉ参照）をしなければならないから、その会社は、清算の目的の範囲内において、なお存続するものとみなされる（商一一六、一四七、四三〇、有七五Ｉ、民七三参照）（一）。

一　長谷川雄一・百選一五八頁参照。

この会社（いわゆる清算会社）は、清算の終了によって初めて消滅するのであって、それまでは、解散前の会社と同一の会社である。そして、ただその目的が縮少するだけである（通説、大判・大正五・三・四・民録二二輯五一五頁、新聞一一三九号二八頁、新商判集１一一六条一）。なお、破産の場合にも、破産法の規定により、清算会社と同一の結果を生ずる（破四）。

清算会社は、その目的を清算の範囲に限定されるから、営業行為能力を失う。その結果、営業を前提とする規定は適用がなくなる。すなわち、従来の会社代表および業務執行機関は、その権限を失い、清算人がこれに代わる。そして競業避止の制限（商七四、一四七、二六四、有二九）が消滅する。

二四　裁判所の解散命令

1　会社が国家の処分によって解散する場合は二つある。それは、(1)合名会社、合資会社、または、有限会社の社員（商一一二、一四七、有七一ノ二）、もしくは、株式会社のいわゆる少数株主（商四〇六ノ二）の申請により、解散の判決がなされる場合、および、(2)裁判所が解散命令を発する場合（商五八、有四）である。ここでは、(2)についてだけ述べ、(1)については、各会社に関連して後に述べる。

法は一般的規定をもって、特定の場合に、裁判所が法務大臣または利害関係人の請求により、会社の解散を命ずることができる旨を定めている(商五八以下、有四)。

およそ、会社は特別法または商法もしくは有限会社法の規定によって、法人格を認められたものである。そして法がある社団に法人格を認めたのは、これによって、その社団の目的を達成させるのが、その社団の構成員のために有利であるのみならず、国民経済の上からも、有用であるためである。ゆえに会社は、いやしくも公益に反する行動をなすべきでないとともに、もし公益に反する継続するならば、これに法人格を認める理由がなくなるわけである。しかし、法がいったん与えた人格を剝奪することは、自然人に対する死刑に等しいことであるから、簡単にその剝奪を認めるのは妥当でない。ゆえに法は、解散命令を出すことができる場合を列挙するとともに、その列挙事項に該当する事由があるため、公益維持の見地から、会社の存立を許すべからざるものと認めうる場合に限り、最後の手段として、会社の解散を命ずることができることにしている。したがって、裁判所に自由裁量の余地を、非常に広く残している。

2　解散命令ができる場合　裁判所は、次の三つの場合に、公益を維持するため、会社の存続を許すべからざるものと認めたときは、会社の解散を命ずることができる(商五八)。この命令は、最後の手段であるから、法が列挙した三つの場合に限られるものと解すべきであり、かつ、取締役の解任、処罰、会社の営業停止または免許の取消などによっても、公益を維持することができない場合に、限らなければならない。

(a)　会社の設立が、不法の目的をもってなされたとき(商五八Ｉ1、有四)　これは、会社の定款に記載した目的が不法である場合に限らない。定款所定の目的は適法であるが、会社を設立する実際の意図が不法な場合(例えば、定款には貿易業を目的として掲げながら、密輸の意図ある場合)をも含む。定款所定の目的が違法な場合には、会社の設立自体が無効であるから、もちろん設立無効の訴を提起できるのであるが、この訴の提起がないかぎり、会社は、そのまま存続するから、公益的見地から、別に解散命令を認めたのである。かつ上掲の場合には、会社が実際に不法な行為をしたか否かを問わず、解散命令をなすことができる。

(b) 会社が正当の事由がなくて、その成立後一年内に開業しないか、または一年以上営業を休止したとき(商五八Ⅰ2、有四)。これは、実際には営業を営む意思がないのに、会社制度を詐欺の手段に悪用することを、防止しようとするものである。ここにいわゆる「開業」とは、定款所定の事業自体の開始をいい、その準備行為の開始では足りない(一)(二)(三)。

一 例えば、製氷会社ならば、氷の販売を開始することをいい、敷地の整地および製氷貯蔵所の建物だけではいけない(大決・明治四五・七・二五・民録一八輯七一二頁、新商判集1五八条一)。なお、蓮井・百選一五六頁参照。

二 一部の開業があれば、原則として本号の適用を免れると解する説(田中耕・八二頁、田中誠・上七〇頁)がある。必ずしも全部の開業を要しないとしても(大隅・上四四頁)、その営業の重要な部分の開業を要する、と解すべきである。

三 この制度は、実際上、ほとんど活用されていない。そのため、登記簿の上だけで存在している会社の例が非常に多い。例えば登記簿上の株式会社総数が約四五万(法務省民事局調査・昭和三七年八月三一日現在)あるのに、納税しているのは、約三〇万(国税庁統計年報書、昭和三七年度版)にすぎない(矢沢編・現代法と企業(現代法9)三二頁、三三頁参照)。この事実を鋭く突いた論文として、松田「会社法人格の濫用—会社解散命令への期待—」株式会社法研究二五八頁以下参照。

(c) 会社の業務を執行する社員または取締役が、法務大臣から書面による警告をうけたにかかわらず、法令もしくは定款に定める会社の権限を踰越し、もしくは濫用する行為または刑罰法令に違反する行為を継続または反覆したとき(商五八Ⅰ3、有四) 法令または定款に定める会社の権限とは、いわゆる会社の能力(一七以下)の意味である。権限を踰越する行為とは、会社の目的の範囲外の行為をすることであり、権限を濫用する行為とは、形式的には目的の範囲外の行為に属しないが、法令または定款の精神から見て、許容できない行為をすることである。また刑罰法令に違反する行為とは、刑法の規定はもとより、ひろく商法、税法、統制法令などにおける罰則に、違反する行為をすることをいう。

3 解散命令の手続　裁判所が解散命令をするには、法務大臣または株主、債権者その他の利害関係人(取締役、監査役、同業者など）の請求があることを要する。裁判所は、職権でこの命令をすることができない。そして、解散命令の請求があった場合には、裁判所は、解散の命令をする前でも、これらの請求権者の請求により、または職権をもって、管理人の選任、その他会社財産の保全に必要な処分をすることができる（商五八Ⅱ）。

株主、債権者その他の利害関係人が、解散命令の請求をした場合には、裁判所は、会社の請求により、相当の担保の提供を命ずることができる。しかし、この場合には、これらの利害関係人の請求が、悪意に出たものであることを、会社が疎明しなければならない（商五九、有四、非訟一三五ノ五・一〇、民訴二六七以下参照）。ここにいう悪意とは、その請求が、理由のないもので、不当に会社の利益を害するおそれがあることを、知っていることをいうのである（商一〇六条二項の「悪意」につき、大津地決・昭和三六・一二・四・下級民集一二巻一二号二九一三頁、新商判集２二四九条一七）。

第八章　合　併

第一節　総　説

二五　合併の効用　企業経営の合理化、無用な競争の排除、資本集中の促進をはかるためには、企業の合同を必要とする。合併は、カルテル、コンツェルン、会社の買収、その他企業合同に関する諸種の型態とともに、この経済的要求に応ずる一つの制度である（一）（二）（三）。

一　企業合同の法律的研究について、大隅・企業合同法の研究、経済的研究について、国弘員人・企業形態論一四三頁以下、古賀英正・支配集中論九九頁以下参照。

二　企業合同の現状について、公正取引委員会・大会社による資本集中および系列化の実態（昭和四一年）、竜田節「企業結合と法」矢沢編・現代法と企業（現代法９）一〇七頁以下参照。

三　企業合同については、株式会社の合併に関連して後述する。

商法および有限会社法が、企業合同について規定したものは、会社の合併、株式会社および有限会社における営業の譲渡または賃貸、経営の委任、他人との損益共通契約（商二四五、有四〇）についてである。そしてこれらの制度は、上述の経済的効用のほかに、会社の破産を救う法律上の効用を有する。

二六　合併の規定　商法は、合併につき、会社法の総則において規定するところが至って少なく（商五六）、合名会社の解散の節に詳細な規定を設け（商九四3、九六−一一一）、これを各種の会社に準用しているほか（商一四七、四一六）、株式会社の合併については、さらにその解散の節に特別の規定を置いている（商四〇八−四一六）。これに反して、有限会社法は、合併に関し、一括して規定を設けている（一）。立法論としては、商法においても、合名会社における規定を、できるかぎり総則の節に移すべきである。

一　鈴木他・株式会社の合併（会社法セミナー(1)）（ジュリスト選書）、大隅他・合併手続、上柳「合併」経営法学全集2一九七頁以下。

このほか、独占禁止法（私的独占の禁止及び公正取引の確保に関する法律、昭和二二年法律五四号）（二）が、公正かつ自由な競争を促進し、国民経済の民主的なかつ健全な発達を促進することを目的として（三）、合併その他の企業の合同につき、規制を加えている。

二　今村成和・独占禁止法（法律学全集）、峯村光郎＝正田彬・私的独占禁止法（法律学体系コンメンタール篇）、正田彬・独占禁止法、矢沢惇・独占禁止法―ケースブックビジネスローⅠ。

三　企業合同のもたらす弊害について、松田「コンツェルン関係における株式会社の自主独立性」株式会社法研究一〇八頁以下、竜田「企業結合と法」前掲一二四頁以下参照。

第二節　合併の意義

二七　合併とは、二つ以上の会社が新会社を設立し（新設合併）、または一会社が他の会社を併合すること（吸収合併）を、目的とする契約であって、当事者の全部または一部が解散し、その社員およびその会社の権利義務が、包括的に、新設会社または存続会社に、併合および移転する効果を生ずるものである(一)。

(一) 合併の法律的性質を、会社の合同を生ずる社団法上の一種特別の契約と解する通説(人格合一説)(田中誠・上七四頁、鈴木・二四七頁、石井・下三三〇頁)に対して、合併の本質を現物出資をもってする会社の資本増加(吸収合併の場合)または設立(新設合併の場合)とみる説(現物出資説)(竹田「会社合併契約の承認」民商一〇巻四号一九〇頁、同「会社合併について」民商一二巻五号一頁および「再び会社の合併について」民商一六巻六号一頁商法の理論と解釈所収、大隅・概説二七三頁、同「会社合併の本質」会社法の諸問題三四九頁、大森・三七二頁)が唱えられている。さらに近時、株主現物出資説(服部「会社合併の基本的性質」株式の本質と能力二〇九頁以下)も現われた。現物出資説は、存続会社ないし新設会社の側面のみ重視し、解散会社の側面を看過しているので(鈴木・二四七頁、同「合併契約の一考察」商法学論集―小町谷古稀記念―一七三頁)、賛成しかねる。

1　合併は、数個の会社間の契約である。その契約は、会社の名をもってその代表者間に締結され、各社員が、当然にその拘束を受ける。この点は、社団法に独特なものである(松本・八五頁参照)。

2　合併契約の当事者は、二個以上の会社である。そして商法上の会社は、その種類および目的のいかんを問わず、合併ができる(商五六Ⅰ)。かつ、その数にも制限がない。もっとも、合併する会社の一方または双方が、株式会社であるときは、合併後存続する会社、または合併によって設立する会社は、株式会社であることを要する(商五六Ⅱ)。けだし、物的会社が人的会社に吸収されたり、または人的会社を新設するがごときことは、実益がないからである(一)。

(一) 大隅・概説二七三頁は、立法論として、人的会社と物的会社との合併を認める必要が、疑わしいとする。

有限会社は、他の有限会社または株式会社とだけ合併ができる。そして前の場合には、存続会社または新設会社が、有限会社であることを要し(有五九Ⅰ)、後の場合には、有限会社または株式会社であることを要する(有六〇参照)。

内国会社と外国会社との合併は、認められない。けだし、外国会社は、取締の必要がある範囲においてだけ、商法または有限会社法の適用を、受けるにすぎないからである(商四七九以下、有七六)。解散後の会社は、存立中の会社を存続会社とする場合に限り、合併ができる(商九八Ⅱ、一四七、四一六Ⅰ、有六三)(二)。かかる制限は、破産会社の場合を除き、その当否が疑わしい。

二 ただし、解散後の会社が、財産の大部分を換価処分した後は、合併ができないと解すべきである(同旨、上柳「合併」経営法学全集2二〇七頁)。

3 合併には、吸収合併と新設合併とがある。そして前者においては、存続会社の定款の変更と、消滅会社の解散とを生じ(商一〇一、有六二)、後者においては、当事者全部の解散と、新設会社の成立とを見る(商一〇二、有六二)。

第三節 合併の効果

二八 消極的効果 合併による消極的効果は、消滅会社の解散である。そしてその解散により、消滅会社の商号は、特約がないかぎり、当然に消滅する。また訴訟の中断を生ずる(民訴二〇九)。

二九 積極的効果

1 社員の併合 消滅会社の社員は、当然に、存続会社または新設会社の社員となる。けだし、もしそうでなければ、合併が清算手続を省略したことと、矛盾するのみならず(商一二〇、一四七、四一七、有七五Ⅰ)、新設合併の場合には、社員のない会社を生ずるに至るからである(商五二Ⅰ参照)。もっとも株主および有限会社の社員は、合併決議により、当然にその責任を加重されるべきではないから(商二〇〇、有一七)、異議ある社員の退社方法が認められている(商四〇八ノ三、有六三)。

2 権利義務の包括承継 存続会社または新設会社は、合併によって消滅した会社の権利義務を承継する(商一〇三、

一四七、四一六I、有六三）。すなわち、一切の権利義務が、当然にかつ包括的に承継される。ゆえに、消滅会社は清算を省略できるのであって、合併の法律上の目的は、実にここにある。

合併により、消滅会社の権利義務の包括承継を生ずるから、合併当事会社が、第三者となした、継続的な契約関係については、存続会社または新設会社が、債務不履行による損害賠償義務を、負担しなければならない不都合な場合がありうる。この点は、立法によって適当な救済策を講ずる必要がある。

3　存続会社の定款変更　吸収合併の場合には、存続会社が消滅会社の社員を併合し、その会社の権利義務を包括承継するから、存続会社の定款の変更を要する。ただしこれは、合併の決議と同時になさるべきものであるから、合併契約が成立すれば、改めて定款変更の決議をする必要がない。

4　会社の設立　新設合併の場合には、合併契約の効果として、新設会社が成立する。この場合には、一般の会社の設立の場合のように、設立行為は存在しない。

第四節　合併手続

三〇　合併手続は、合併の予約、合併の準備手続、合併契約および登記から成る。かつ、株式会社、有限会社（有六三）の合併、および合名会社または合資会社が、株式会社を存続会社とする合併（商四一一）については、さらに特別の手続を要する（後述）。

なお、独占禁止法は、会社が合併をするには、あらかじめ、公正取引委員会に届出ることを要し、その届出受理の日から三〇日を経過するまでは、合併ができないことにしている（独禁一五II、III）。そして合併が、一定の取引分野における競争を、実質的に制限することになる場合か、または不公正な取引方法によるものである場合には、その合併は禁止される（独禁一五I）。

1　合併の予約　合併をする各会社は、合併決議の原案となる合併契約の内容(商四〇八参照)を、協定するのが普通であって、これを合併の予約という。かつ、物的会社にあっては、法がその内容となる事項を定めている(商四〇九、四一〇、有六三)。そして各会社は、この予約に基づいて、合併の準備手続をする義務、および合併決議が成立したときに、合併契約を締結する義務を負担する。しかし、各会社の社員は、この予約からなんらの拘束をも受けない。

2　合併の準備手続

a　社員保護の手続　各会社は、合併の予約の内容につき、社員の決議を経ることを要する(商九八Ⅰ、一四七、四〇八、有五九Ⅱ)。

b　会社債権者の保護手続

(イ)　会社が合併の決議をしたときは、その決議の日から二週間内に、財産目録および貸借対照表を作ることを要する(商九九、有六三)。

(ロ)　会社は合併決議の日から二週間内に、その債権者に、合併に異議があるならば、一定の期間内に、これを述べるように公告をし、かつ、知れている債権者には、各別に、これを催告することを要する。ただし、その期間は一月を下ることができない(商一〇〇Ⅰ、有六三)。

債権者が、右の期間内に異議を述べないならば、合併を承認したものとみなされる(商一〇〇Ⅱ、有六三)。もっとも、債権者は合併を承認したものと、みなされるだけであって、自己の債権の内容につき、変更を受けるのではない。

債権者が異議を述べたときは、会社は弁済をするか、または相当の担保を供し、もしくは債権者に弁済を受けさせるために、信託会社に相当の財産を信託しなければならない(商一〇〇Ⅲ、有六三)。

以上の諸手続の違反は、合併の無効を招く(三一以下)。

3　合併契約　以上の手続終了の後に、会社の代表者が、合併決議の趣旨に従って、合併契約を締結することを要する。而して新設合併の場合には、各会社から選任した者が共同して、定款の作成その他設立に関する行為を、しなければならない(商五六Ⅲ、有五九Ⅲ)。

4　登　記　会社が合併したときは、本店の所在地においては二週間、支店の所在地においては三週間内に、合併の型態に応じて、変更登記、解散登記、設立登記等を、しなければならない（商一〇一、有六二）。そして合併は、存続会社または新設会社が、本店の所在地において、上述の登記をすることによって、その効力を生ずる（商一〇二、有六三）。

第五節　合併の無効

三一　合併は、理論的には、契約の無効原因および合併手続の違反によって（有六〇IIの場合も含めて）、ことごとく無効になる。しかし、それでは濫訴の弊を生ずると同時に、合併登記後の会社債権者に、不測の損害を及ぼすおそれがある。かつ、些細な瑕疵を理由として、合併を無効とするのは、合併の当事者および社員にとって、不利益である。ゆえに法は、合併の無効につき、特殊の制度を設けた。

三二　訴の提起　合併の無効は、訴だけによって主張することができる（商一〇四I、商施一八、一九III、有六三）。そしてこの訴は、人的会社にあっては、社員、清算人、破産管財人または合併を承認しない債権者だけが、提起できる（商一〇四II、一四七）。また物的会社にあっては、株主、取締役、監査役、清算人、破産管財人または合併を承認しない債権者だけが、主張できる（商四一五、有六三）。ゆえに、その他の者は、訴における攻撃または防禦の方法としても、これを主張することができない。

合併無効の訴は、存続会社または新設会社の、本店所在地の地方裁判所の管轄に専属する（商一〇四III、八八、一四七、四一六I、有六三）。この訴は、合併の日から六月内にこれを提起すべく、口頭弁論は、右期間を経過した後でなければ、開始することができない。かつ、数個の訴が同時に繫属するときは、弁論および裁判は、併合して行なうことを要する。そして訴の提起があったときは、会社は、遅滞なくその旨を公告しなければならない（商一〇五、一四七、四一六I、有六三）。なお、合併を承認しない債権者が、合併無効の訴を提起した場合には、会社の請求により、相当の担保を供することを要する（商一〇六、一四七、四一六I、有六三）。

三三　判　決

1　原告敗訴の場合　判決の既判力は、他の訴権者に及ばないけれども、口頭弁論が、すべての訴権者の訴権消滅の後に開始されるから（三二参照）、これらの者に既判力が及んだのと、同一結果になる（一）。

一　昭和一三年の改正法によれば、裁判所は、合併無効の原因である瑕疵が、補充されたとき、または会社の現況その他一切の事情を斟酌して、合併を無効とすることを不適当と認めるときは、請求を棄却することができた（商一〇七、一四七、四一六I、有六三）。これは、濫訴を防止し、かつ企業を維持することを、目的としたもので、極めて妥当な規定であったが、昭和二五年の改正法で、GHQの強要により、削除の余儀なきに至った。しかしこの削除後も、裁判所の合理的判断により、ほぼ同じ結果をうることが、不可能ではないと思われる。もっともこの問題については、株主総会決議取消の訴に関連して、最高裁判所の立場が、必ずしも一致していない（最高判・昭和三〇・一〇・二〇・最高民集九巻一一号一六六〇頁、同三一・一一・一五・最高民集一〇巻一一号一四二五頁、新商判集2二五一条一、四）。

原告に悪意または重大な過失があった場合には、会社に対し、連帯して損害賠償の責に任じなければならない（商一〇九II、一四七、四一六II、有六三）。

2　原告勝訴の場合　　合併を無効とする判決の既判力は、第三者に対してもその効力がある（商一〇九I、一四七、四一六I、有六三）。ただし、その判決は、会社相互間の関係を除き、遡及しない。すなわち、その判決は「合併後存続スル会社又ハ合併ニ因リテ設立シタル会社、其ノ社員及ヒ第三者ノ間ニ生シタル権利義務ニ影響ヲ及ホサス」である（商一一〇、一四七、四一六I、有六三）。従って、

(a)　合併をした会社は、存続会社または新設会社が、合併後に負担した債務につき、連帯して弁済の責に任ずる（商一一一I、一四七、四一六I、有六三）。そして各会社の負担部分は、各会社の協議でこれを定むべく、協議が調わないときは、裁判所が、請求により、合併の時の各会社の財産額、その他一切の事情を斟酌して、これを定める（商一一一III、一四七、四一六I、有六三）。

(b)　存続会社または新設会社が、合併後に取得した財産は、合併をした会社の共有に属する（商一一一II、一四七、四一六I、有六三）。そ

の持分は、裁判所が(a)の場合に準ずる方法で、これを定める（商一一一Ⅲ、有六三）。

合併を無効とする判決が確定したときは、本店および支店の所在地において、存続会社については変更登記、新設会社については解散登記、消滅会社については回復登記、をしなければならない（商一〇八、一四七、四一六Ⅰ、有六三、非訟一三五ノ七等参照）。

第二部　各　論

第一章　合名会社

第一節　総　説

三四　意　義　合名会社とは、社員の全員が、会社債権者に対して、直接に連帯無限の責任を負う会社をいう。社員の全員が、このような責任を負うから、社員の個性が重視されること、および、それゆえにまた、社員相互間に強い信頼関係があって、共同に事業を経営する関係を生ずることに、著しい特色がある（九2参照）。

三五　沿　革　合名会社は、一一世紀頃イタリアの商業都市において、数人の相続人が、被相続人の事業を継続するために組織した家族団体、すなわちコンパニア（compagnia）から発達したものである（伊沢「合名会社の歴史」法学一四巻四号一頁以下参照）。

第二節　設　立

第一款　総　説

三六　設立手続　合名会社は、社員になろうとする二人以上の者が、定款を作成し（商六二）、かつ設立登記をすることによって成立する（商五七）。合名会社は、前述のように、相互に信頼する少数の社員からなり、その全員が会社債権者に対して、連帯無限の責任を負うものであるから、設立手続が極めて簡単である。この点は、株式会社の設立が、複雑で、厳格な手続をふまなければならないのと、著しくちがうところである。

三七 社 員 合名会社には、二人以上の社員があることが、その成立およびその存続の要件である(商九四4)。そしてその社員は、個性が重視されるため、商法は、これを自然人に限り、法人は社員となることができないことにしている(商五五)。しかし自然人である限り、無能力者でも社員になりうる(商六参照)。

第二款 定款の作成

三八 定款の意義 定款は、会社の組織と活動とに関する、基本的な規則自体をいう場合(実質的意義の定款)と、その規則を記載した書面をいう場合(形式的意義の定款)とがある(六六参照)。会社の設立要件としての定款の作成とは、この基本的な規則を定め、かつ、これを書面に作成することをいう(商六二)。

合名会社の設立には、定款の作成と設立登記とを要するから、定款の作成は設立手続の一部である。

三九 定款の形式 定款は、法定の形式を備えた書面に、各社員が署名したもの(公証人の認証は不要。商一六七参照)であることを要する(商六三)。すなわち、定款の作成は要式行為であって、定款はその形式を備えた時に成立する。

1 絶対的記載事項 合名会社の定款には、左の事項を記載しなければならない(商六三)。ゆえに、その一つを欠いても、定款は無効であり、この会社の設立無効を招く(四五参照)。

(a) 目 的 目的とは、会社の営もうとする事業のことである。その記載は、その事業が何であるかを知りうる程度に、具体的でなければならない。ただし、その事業は一個に限らず、数個でもよい。

(b) 商 号 商号には、特定の名称のほかに、合名会社という表示を、必ず附加しなければならない(商一七)。

(c) 社員の氏名および住所　合名会社では、社員の個性が重視されるから、誰が社員であるかを明らかにすることが、内部的にも、外部的にも、はなはだ重要である。

(d) 本店および支店の所在地　これは、所在の場所ではなく、最少独立行政区画で足りる。支店の所在地の記載は、支店設置の予定地を意味し、必要がなければ、そこに支店をおかなくてもよい。また支店設置の予定がないならば、もちろん記載を要しない。かつ、商法第一六六条第一項第八号との権衡上、支店の所在地の記載を欠いても、定款は無効にならないと解するのが妥当である（石井・下三九五頁、田中誠・下九〇九頁）。

(e) 社員の出資の目的およびその価格または評価の標準　出資の目的とは、その種類（金銭・現物・労務・信用）だけでなく、その目的物を具体的に特定する必要がある。金銭出資以外については、その評価額を定めるが、労務・信用の出資の場合には、評価の標準を定めてもよい（例えば、信用の出資は財産出資の最低額とするというが如し）。

2　任意的記載事項　商法は、**1**に掲げた事項のほかは、記載を強制せず、各社員の自由に定めるところに任かせている。ただし、もちろんその記載事項は、強行規定や公序良俗または合名会社の本質に反することを許されない(一)。

一　利益配当請求権も残余財産分配請求権も、認めないことを定めた定款は、無効であるにかかわらず、定款にそのような規定があった合資会社の設立登記が、昭和九年になされた実例がある（宇都宮地栃木支部・昭和二六・一・二八の判決の事実摘示、最高裁民集二一巻一号一二七頁参照）。

なお、商法には、任意事項ではあるが、その記載を予定しているものがある（例えば、商六八、七〇、七六、七七、八四、八五1、八九、九四―一二七）。しかしそれは、株式会社の定款の、いわゆる相対的記載事項（商一六八）のような意味を、有するものではない。

第三款　設立登記

四〇　緒　言　合名会社が成立するためには、定款を作成したのち、本店の所在地で、設立登記をしなければならない（商五七、六四Ⅰ、四九八Ⅰ１、商登五四、五五）、商法は、登記の時期につき、制限を設けていないが（商一八Ⅰ参照）、事業を開始するまでには、登記をしなければならない（商五七、四九八Ⅰ１参照）。その登記の効力は、商法第一二条によって決する（大隅・上三四頁、同・商法総則二八六頁。通説は反対）。

四一　登記事項　合名会社の設立の登記には、⑴目的、⑵商号、⑶社員の氏名および住所、⑷本店および支店、⑸存立時期または解散事由を定めたときは、その時期または事由、⑹社員中に会社を代表しない者があるときは、会社を代表すべき者（代表社員）の氏名、⑺数人の社員が共同して会社を代表すべきこと（共同代表）を定めたときは、その規定を、登記しなければならない（商六四Ⅰ）。その他の事項は、たとえ定款に記載があっても、登記することができない。かつ、登記をしても無効である。それは、登記事項の簡明をはかるためである。

以上の事項は、会社が設立登記をした後二週間内に、支店の所在地でも、登記しなければならない（商六四Ⅱ）。

四二　変更登記　登記事項（商六四Ⅰ）に変更を生じたときは、本店の所在地では二週間、支店の所在地では三週間内に、変更登記をしなければならない（商六七）。

このほか、会社の成立後に支店を設けたときは、本店の所在地では二週間内に、支店を設けたことを登記し、その支店の所在地では三週間内に、設立登記事項（商六四Ⅰ）を登記し、他の支店の所在地では同じ期間内に、支店を新設したことを、登記しなければならない（商六五Ⅰ）。もっとも、本店または支店の所在地を管轄する登記所の管轄区域内に、新しく支店を設けたときは、その事実だけを登記すればよい（商六五Ⅱ）。

第四款　設立の無効・取消

第一項　総　説

四三　会社の設立行為に、無効または取消の原因がある場合に、もし無効に関する一般原則(民一一九以下参照)によるならば、会社と社員または第三者との関係、第三者と社員との関係は、既往に遡って無効となり、会社を代表した者だけが、無権代理に基づく責任(民一一七)を負うことになる。しかし、それでは、会社の内外にわたって、複雑な法律関係を生ずるだけでなく、第三者に不測の損害を生ずることになる。ゆえに、商法は民法の一般原則の適用を認めないで、特殊の規定を設けた(商一三六—一四二)。その主要な特色は、無効および取消について、遡及効を認めないで、事実上の会社(一)の存在を認めたこと、社員の一員だけの設立行為に、無効または取消の原因があった場合にも、合名会社が、各社員の個性と社員相互の信頼関係とを、重視することを考えて、一方において、その全員のために設立行為を無効とするとともに、他方において、会社継続の方法を認めたこと(商一三九、一四二)である。

一　faktische Gesellschaft, société de fait, de facto corporation. 事実上の会社については、服部「事実上の会社について」民商三六巻三号、喜多「ドイツにおける『事実上の会社』理論」現代商法学の諸問題—田中誠二古稀記念—一六七頁以下、菅原「アメリカ会社法における事実上の会社理論」法学二〇巻四号参照。

第二項　設立無効

四四　設立の無効について、商法は、無効の主張者および設立無効の主張の時期と方法とを制限するとともに、無効の遡及効を排斥している。これらの点は、株式会社の設立無効と共通している（商四二八）。

四五　無効原因　設立無効の原因には、社員の心神喪失、錯誤（民九五）、通謀虚偽表示（大隅・上五五頁、石井・下三九七頁、反対、田中誠・下九一二頁、大判・昭七・四・一九・民集一一巻九号八三三七頁、新商判集1一四七条一）など、意思表示の瑕疵のような主観的事由（主観的無効原因）と、定款または設立登記の無効などのような客観的事由（客観的無効原因）とがある。

四六　設立無効の訴　この訴については、合併無効の訴に関する規定（商一〇四以下）（三一以下参照）が、多数準用されている。

1　訴の提起　設立の無効は、会社成立の日から二年内に、社員に限り、かつ、訴の方法によってのみ、主張することができる（商一三六Ⅰ、Ⅱ）。設立の無効の訴は、会社を被告とするもので、会社の本店所在地の地方裁判所の管轄に専属し（商一三六Ⅲ、八八）、数個の訴が同時に係属するときは、弁論および裁判を併合して行なわなければならない（商一三六Ⅲ、一〇五Ⅲ）。訴の提起があったときは、会社は、遅滞なく、その旨を公告しなければならない（商一三六Ⅲ、一〇五Ⅳ）。

2　判　決

(a)　原告が勝訴した場合、すなわち、設立無効の判決が確定した場合には、その判決は、当事者以外の第三者に対しても効力を有する。したがって、何人もこれを争うことができない（対世的効力）（商一三六Ⅲ、一〇九Ⅰ）。これは、多数の社員その他の利害関係人と会社との法律関係を、画一的に確定する必要があるためである。ゆえに、判決が確定したときは、本店および支店の所在地において、その登記をしなければならない（商一三七、非訟一三五ノ六）。

設立無効の判決があっても、すでに会社と社員または第三者との間に生じた権利義務は、全く影響を受けない（商一三六Ⅲ、一一〇）。この判決は、解散に準ずる効力を生ずるから、会社の清算をすることになる（商一三八）。そして裁判所は、利害関係人の請求により、清算人を選任する。かつ、その清算は「解散に準じて」行なわれるのであるから、解散の場合における清算の規定（商一一六以下）（一〇五以下）が、ことごとく適用されることになる。

(b)　原告が敗訴した場合、すなわち、設立無効の訴が棄却された場合には、その判決は、訴訟の当事者間に効力を生ずるだけである。したがって、提訴期間内ならば、理論的には、他の社員が、さらに同一事由により、無効の訴を提起できる。ただし、実際上は、提訴期間の経過により、それができない(商一三六Ⅲ、一〇五Ⅲ、Ⅳ参照)(三二参照)。

敗訴した原告が、悪意または重大な過失によって訴を提起した場合には、会社に対し、連帯して損害賠償の責に任じなければならない(商一三六Ⅲ、一〇九Ⅱ)。

四七　**会社の継続**　設立無効の判決が確定すると、会社は、解散の場合に準じて清算をしなければならないのであるが、その無効の原因(例えば意思無能力、錯誤など)が、或る社員だけにある場合には、他の社員の一致によって、会社を継続することができる(商一三九Ⅰ前段)。そして無効原因があった社員は、退社したものとみなされる(商一三九Ⅰ後段)。また社員が二人だけの会社において、その一人につき無効原因があって、設立が無効になった場合にも、残りの社員が、新たに社員を加入させて、会社を継続することができる。そしてこの場合にも、無効原因があった社員は、退社したものとみなされる(商一三九Ⅱ、九五Ⅱ)。

この二つの方法は、会社が設立無効の登記(商一三七)をした後でも、とることができる。ただしその場合には、本店および支店の所在地で、継続の登記をしなければならない(商一三九Ⅱ、九七)。

かように、設立無効の判決確定の場合に、会社の継続が認められたのは、会社が解散した場合に、商法が会社の継続を認めたのと、同じ趣旨によるものであって(商九五。九七参照)、合名会社の特色の一つをなすものである。

第三項　設立の取消

四八　**取消原因**　合名会社の設立行為については、既述のように(三六)、客観的な無効原因があって、設立が無効になることがあるけれども、取消については、客観的な原因というものがない。すなわち、取消原因は、常に各社員についてだけ存在するのである。しかし、特定の社員に取消原因があって、その社員が社員の資格を失うことは、各社員の個性と相互の信頼関係とを重視する合名会社において、他の社員に重大な利害関係がある。ゆえに商法は、或る社員の設立行為の取消、すなわち無能力による取消（民四、九、一二）(一)、または意思表示の瑕疵（民九六）による取消をもって、社員全体の設立行為を無効とする立場をとった（商一四〇）。また、ある社員の設立行為が詐害行為になる場合には、その社員の債権者が、設立行為取消の訴を提起する権利を認めている（商一四一）。

かような二つの方法は、ともに株式会社について認められないことである(二)。これは、株式会社が典型的な物的会社であり、社員の個性を問題にしない特色を示す、一つのよい例である。

一 今井「会社設立の取消と無能力者の責任」演習I（一二三）参照。

二 物的会社に属する有限会社においては、設立行為の取消が認められている（有七五I）。これは、この会社の社員相互間にも、ある程度の信頼関係があることによるものであって、これが、この会社が人的会社の特色をも加味した物的会社である、といわれる理由である。

四九 設立取消の訴　商法は設立行為の一般的な場合（商一四〇）と、特殊な場合（商一四一）とに共通して、訴訟手続および取消の効果につき、設立無効の場合と同じ規定を設けている（商一四二）。

会社の設立の取消は、訴によってだけ、請求することができる（商一四〇）。その訴権者は、(1)一般的取消原因を主張する場合には、無能力者または瑕疵ある意思表示をした者、およびその代理人または承継人であり（民一二〇）、(2)詐害行為の取消を主張する場合には、当該社員の債権者である。この債権者は、自己の債務者が、この債権者を害することを知って会社を設立した場合に、設立取消の訴の提起ができるのである（商一四一）(一)。

一 昭和一三年改正法は、債権者保護のため、商法第一四一条を設け、民法第四二四条よりも、さらに取消を容易にした。立法論としては、持分差押債権者の退社告知の制度（商九〇、九一）があるのだから、商法第一四一条を削除し、民法第四二四条の適用に止めるべきである。

商法第一四一条と民法第四二四条との関係につき、大判・昭一六・五・一六・新聞四七〇七号二二頁、新商判集1一四一条一参照。なお、蓮井「会社の設立と詐害行為」演習I〔二二〕参照。

取消の訴の被告は、(1)の場合には、会社であり、(2)の場合には、会社と詐害行為をした社員とである（この二者が共同被告になる）。

その他の関係については、会社の継続をも含めて（商一三九）、ことごとく設立無効の訴に関する規定が準用される（商一四二、一三六I、八八、一〇五III・IV、一三七、一一〇、一三八、一〇九）。

第三節　合名会社の法律関係

第一款　総　　説

五〇　内部関係と外部関係　　合名会社の法律関係は、(1)会社と社員との関係、(2)社員相互の関係、(3)会社と第三者との関係、(4)社員と第三者との関係に分かれる。商法は(1)(2)を会社の内部の関係（商六八—七五）、(3)(4)を会社の外部の関係（商七六—八三）と題して規定している。(2)と(4)が認められるのは、合名会社の実体が、組合的な性質を有するためである。

五一　規定の特色　　合名会社の内部関係は、社員の利害だけに関するものであるから、社員相互の信頼関係を基礎とするこの会社においては、その規則を社員の自治にまかせてもよい。商法第六八条が『会社ノ内部ノ関係ニ付テハ定款又ハ本法ニ別段ノ定メナキトキハ組合ニ関スル民法ノ規定ヲ準用ス』と規定したのは、その趣旨を示したものである（大決・大七・一〇・二九・民録二四輯二〇六八頁、新商判集1一四七条五〇）。

これに反して、会社の外部関係は、第三者との関係であって、その利益を保護する必要があるから、商法はこの点について強行法規を設けている。

五二　管　理　商法は、上述のように、合名会社の法律関係を、内部関係と外部関係とに分けて規定しているが、それは、営利の目的を追及するこの会社において、その機関が、内外にわたって行動する関係（仮に管理という）(有二五参照)を定めたものである。商法は、内部関係の規定のなかで『業務ヲ執行スル権利ヲ有シ義務ヲ負フ』(商七〇)とか、『業務執行社員』(商七一)とかいう表現をし、外部関係の規定のなかで『会社ヲ代表ス…』(商七六)とか、『会社ヲ代表スヘキ…』(商七七、七八)とかいう表現をしているため、業務執行という概念が、狭義に解釈されるおそれがあると同時に、業務執行と会社代表との区別が不明瞭になり、業務執行に、内から見た場合と、外から見た場合とがあることを、特に説明しなければならない結果になっている(例えば、服部・一七八頁、鈴木・二六四頁、大隅・上六七頁、石井・下四一〇頁、松本・五〇一頁、田中耕・二一六頁)(一)。

合名会社の社員は、会社の機関として、会社を管理する権利と義務とを有することを原則とし(商七〇)、その管理行為の内容が、業務執行と会社代表とに分かれるのである。そして社員がかように、会社の企業を経営すると同時に、企業を所有することが、合名会社の特色をなすのである(二)。

一　ヴィーラントは、業務執行を、会社の内部における管理（Verwaltung）と、事実上の事務処理（Verrichtung）とに分けている（Wieland, *Handelsrecht*, I, S. 565 ff.）。またリペール・ロブロは、会社の管理（administration）という表題の下で、管理者（gérant）が業務を執行する権限と、その業務執行が第三者との関係を生ずる場合における権限とについて説明を行なっている（Ripert et Roblot, *Traité élémentaire de droit commercial*, 1968, n°s 839, 845）。

二　田中耕「機関の観念」著作集8（商法学特殊問題上）二二五頁以下、大隅「会社の機関としての社員」会社法の諸問題一四三頁以下、服部「機関概念と社員概念」株式の本質と会社の能力一一四頁以下参照。

第二款　会社の内部の関係

第一項　社員の出資

五三　**出資の意義および種類**　社員が会社の目的を達成するために、その資格において会社に対してなす給付を、出資という。社員はすべて出資義務を負い、その種類および程度は定款に定めてある（商六三5）。出資には、財産、労務および信用の三種がある（商八九）。財産出資は、金銭出資のほか、動産、不動産、債権、用益権、特許権、得意先関係（のれん）など、貸借対照表の資産の部に記入できる一切のものでありうる。労務出資は、肉体的労働または精神的労働の給付をいい、一時的であると、継続的であるとを問わない。信用出資（民六六七IIには規定がない）は、社員が会社に自己の信用を利用させることをいう（例えば、会社のための保証、会社が振出す手形に裏書または引受をすること）。単に社員として会社に加入して、無限責任を負うことも、各社員が、間接に自己の信用を出資していることになるが（商八〇）、ここで信用の出資があるというのは、定款に、出資として特に記載があり、かつ、その評価の標準が定めてある場合だけをいうのである。

五四　**出資義務の発生・変更・消滅**　出資義務には、抽象的なものと、具体的なものとがある。抽象的出資義務は、会社の成立により、または成立後に新しく社員として入社することによって発生する。具体的出資義務は、履行期限の到来（民四一二I II、ただし商一二六の例外がある）、または履行の請求（民四一二III）によって発生する。出資義務は、定款の定めるところであるから、定款変更（商七二）の方法によらなければ、会社からも社員からも、その変更をすることができない。

抽象的出資義務は、社員の退社によって消滅する（大判・昭一六・五・二一・民集二〇巻六九三頁、新商判集1一四七条一八）（一）。また具体的出資義務は、その履行した場合のほか、一〇年の消滅時効によって消滅する。

一　平出「出資義務の履行期」百選一七四頁参照。

五五　出資義務の履行　出資義務の履行の時期および程度は、定款の定めるところによる。ただし、清算の場合に例外がある(商一二六)。定款に別段の定めがないときは、通常の業務執行の方法によって、自由にそれを定め、その履行の催告をなすことができる(一)。ただし、そのさい各社員を、できるだけ平等に取扱わなければならない。

一　金銭出資の履行期は、定款または総社員の同意による定めがないかぎり、会社の成立と同時に到来すると解する判例(大判・昭一〇・二・八・民集一四巻五三頁、新商判集1一四七条二〇)がある。しかし、それは正当でない。

出資義務の履行として、社員は、各自の出資の種類に応じ、あるいは財産権の移転または利用に必要な手続をなし、あるいは労働に従事し、あるいは信用の利用に必要な行為(例えば、手形の保証・引受など)を、しなければならない。そして財産出資をする者は、危険負担(民五三四以下)、追奪担保または瑕疵担保(民五六一以下)の責に任じなければならない(商六八、民五五九参照)。債権の出資者は、その債務者の不履行につき、当然に担保責任を負わされる(商六九)。これは、疑いを避けるために設けたものである(民五六九参照)。

社員が出資義務の履行を怠ったときは(二)、損害賠償義務を負うほか、その社員は、除名または業務執行権・代表権を失うおそれがある(商八六Ⅰ1)。

二　会社の財産目録および元帳の資産の部に、現物出資として記載された不動産につき、その履行がないと認めた例として、千葉地判・昭和三五・四・二三・下級裁民集一一巻四号九一〇頁、新商判集1一四七条一七参照。

第二項　損益の分配

五六　会社はすでに述べたように（3八）営利法人であるから、合名会社の社員には、すべて利益配当請求権がある。これに反して、損失は、必ずしも分担することを要しない。

五七　損益の意義　　会社の損益とは、貸借対照表において、会社の資本（財産出資の総額）と会社の純財産とを比較した結果をいう。そして純財産とは、積極財産から消極財産を差引いた額をいう。すなわち、純財産額が資本額を超える額が利益であり、後者が前者を超える額が損失である。

会社が堅実な事業の経営をするためには、このような利益がある場合に、それから各種の積立金を控除したのちに、その分配をすることを要するのであるが、合名会社においては、会社が無資力な場合に、社員が会社債権者に対し、直接に連帯無限の責任を負うから（商八〇）、商法は、合名会社の損益分配を、定款の規定または総社員の同意にまかせた（一）。この点は、会社財産を、外部に対する信用の唯一の基礎としている物的会社と、著しくちがうところである（商二九〇、四五八Ⅱ、有四六）。

一　昭和一三年の改正法以前の商法第六七条は『会社ハ損失ヲ塡補シタル後ニ非レハ利益ノ配当ヲ為スコトヲ得ス前項ノ規定ニ違反シテ配当ヲ為シタルトキハ会社ノ債権者ハ之ヲ返還セシムルコトヲ得』と規定していた。

五八　損益分配の時期と方法　　分配の時期は、定款に定めがあればそれによる。しかしそれがなければ、貸借対照表作成の時である（商三三参照）。

分配の標準も定款の規定による。それがない場合には、組合の規定による（商六七、民六七四）。

利益は、現実に金銭をもって支払われるのが通常であるが、定款の規定または総社員の同意により、その全部または一部を、会社に留保して、社員の持分の増加をはかることを妨げない。そして新入社員の配当額は、利益分配率と入社後の期間に比例する（大判・大正一五・七・二七・新聞二六〇七号一六頁）。

損失の分配は、社員が現実に出資をして、損失の塡補をすることをいうのではなくて、帳簿の上で、社員の持分が減少することをいうのである。損失を分担しない社員の持分は、この場合にも、もちろん減少しない。

第三項　業務執行

五九　意　義　　業務執行とは、会社が事業を遂行するために必要な、一切の事務を処理することをいう。そのうちには、法律行為に限らず、事実行為も含まれる（例えば、帳簿の整理、会社内部の通知、不用品の廃棄）。会社を代表する行為も、既述のように（三四）、内部的にみれば、その大部分が業務執行である。

六〇　業務執行者　　合名会社においては、定款に別段の定めがないかぎり、各社員が会社の業務を執行する権利を有し義務を負う（商七〇）。すなわち、各社員は原則として、法律上当然に会社の業務執行機関（一）を構成する。しかし、定款の規定により、社員の一部に業務執行権を認め、他の社員の業務執行権を奪うことができる。また社員以外の者を、業務執行者に選任することもできる。ただし、全社員の業務執行権を奪って、社員以外の者に業務執行権を与えることはできない（二）。

一　この点に着眼して、業務監視権（商六八、民六七三）を有する社員に、監査役の名称をつけることを妨げない、という判例がある（東京地判・明治四一・六・二五・新聞五一〇号一四頁、新商判集１一四七条七九）。

二　全社員の業務執行権を奪って、社員以外の者にこれを与えることは、抽象的に論ずれば不可能ではない。しかし、わが商法は、社員が業務執行者であることを前提として、規定を設けているのみならず、ことに業務執行権および会社代表権の剝奪に、裁判所の関与を命じていること（商八六）に徴すると、全社員の業務執行権を奪うことは、規定の上から不可能である、と解するほかない（結果同説、大隅・上八六頁、大森・三三頁、服部・一七八頁、石井・下四一一頁、田中誠・下九二四頁)。

業務執行権を有する社員を、業務執行社員という。定款に、特に業務執行社員を定めてある場合には、他の社員は、業務を執行する権利も義務もない。かつ、この権利がないのに業務執行に関与すると、除名の制裁を受けるおそれがある(商八六I3)。しかし、業務執行権がない社員にも、業務監視権があるから(商六八、民六七三)、これによって、業務執行社員を牽制することが、できるわけである。

社員は、原則として、当然に業務執行者になるのであるが、この者と会社との関係には、委任に関する民法の規定(民六四四—六五〇)の準用があるから(商六八、民六七一)、業務執行者は、善良な管理者の注意をもって、業務を執行しなければならない(民六四四)。また、正当な事由がなければ、辞任できない(民六七二)。

社員が業務執行者である場合に、その解任について、商法は特別の規定を設けた(商八六、民六五一と比較せよ)。すなわち、その社員に出資義務の不履行、競業回避義務違反、不正業務執行、代表権の不正行使または冒用、その他、重要な義務の不履行があり(商八六I)、または業務執行に、著しく不適任な場合(商八六II)には、会社は、他の社員の過半数の決議をもって、業務執行権の喪失の宣告を、裁判所に請求することができる。この訴は、本店の所在地の地方裁判所の管轄に専属する(商八八)。なお、業務執行権喪失の判決が確定したときは、本店および支店の所在地において、その登記をしなければならない(商八六III)。

商法が、かような特別の規定を設けたのは、合名会社において、社員の個性が重視されるためである。ゆえに、社員以外の者が、業務執行者に選任された場合には、その解任は、民法第六五一条によることができる。

六一　業務執行の方法　会社の業務執行は、定款に別段の定めがないならば、総社員の過半数の決議によって決する(商六八、民六七〇I)。ここで業務執行というのは、業務の執行方法のことであって、個々の業務、すなわち常務をいうのではない(民六七〇Ⅲ参照)。定款で数人の業務執行者を定め、かつ、その決議方法を定めなかったときには、その過半数の決議によって決する。

右二つの場合を通じて、過半数は、定款に別段の定めがないかぎり、頭数によってこれを決し、出資の種類や程度によらない。ここに、社員の個性を重視する特色が、顕著に現われている(商六九三と比較せよ)。

なお、支配人の選任および解任は、上述の決議方法とちがい、特に業務執行社員を定めたときでも、総社員の過半数の決議を要する(商七一一)。これは、支配人の権限が広くて(商三八)、会社の利害に大きな関係があるためである。

このような手続によって行なわれた意思決定に基づき、各社員は、単独で、日常の業務（常務）を執行することができる。ただしその結了前に、他の業務執行社員が、異議を述べないことを条件とする(商六八、民六七〇Ⅲ)。

六二　社員の監視権　　会社の業務を執行する権限がない社員は、業務執行に関与することができないのみならず、もし関与するならば、除名の事由になる(商八六Ⅰ3)。しかし、業務執行権がない社員も、会社債務について無限責任を負担するから(商八〇)、会社の業務執行に重大な利害関係がある。ゆえに商法は、かかる社員のために、会社の業務および会社財産の状況を、調査する権利(監視権)を認めている(商六八、民六七三)。そしてそのことは同時に、会社の利益をも保護する結果になる。もっとも、定款の規定によって、この権利を奪うことも制限することも妨げない(一)。

一　田中耕・一二〇頁。反対説が多い。例えば、大隅・上七一頁、大森・三五頁、田中誠・下九二七頁（理由が最も詳しい）。これらの説は、社員の監視権を奪うことが、合名会社の本質に反するとか、社員の利益のほかに、会社全体の利益に反するとかいうことを、その理由にする。菅原も反対説をとる。しかし、各社員は、終局的に連帯無限の責任を負うのであるから、会社債権者の利益は十分保護される。故に、各社員が監視権を放棄するのなら、その自由にまかせ、法律上これに干渉する必要がないわけである（商六八条参照）。

六三　理　由　合名会社の社員は、原則として、会社の業務を執行する権利義務を有するのみならず(商七〇)、例外的に、業務執行権を有しない場合でも、業務の監視権を有するから(商六八、民六七三)、会社事業の機密に通じている。ゆえに、社員がこのような地位を濫用し、会社の利益を犠牲にして、私利をはかるおそれがある。そこで商法は、代理商(商四八)や取締役(商二六四、二六五)の場合に類する競業回避義務(商七四。なお四一参照)、および会社との取引回避義務(商七五)を規定して、会社の利益保護をはかっている。しかしこれは、会社の内部関係に属する事項であるから、定款に別段の定めをなすることを妨げない。

六四　競業回避義務　社員は、他の社員の承諾がなければ、自己もしくは第三者のために、会社の営業の部類に属する取引をなし、または同種の営業を目的とする他の会社の、無限責任社員もしくは取締役になることができない(商七四)。他の社員の承諾とは、他のすべての社員の承諾をいう。承諾は、明示黙示いずれでもよい。包括的でも個別的でもよい。また事後の承諾すなわち追認でもよい(反対、田中誠・下九三七頁)。

競業禁止は、会社の営業の存続を前提とするから、解散後は存しない(田中誠・下九三八頁、大隅・上八七頁)(一)。

一　判例は、会社が、解散のほかないものとして、工場を閉鎖し、工員を解雇し、事実上営業をしない場合にも、競業回避義務がなくなると解している(大判・大正七・七・一〇・民録二四輯一四二二頁、大阪控判・大正七・五・四・新聞一四〇八号二一頁、新商判集1七四条三、四)。それに賛成であるが(伊沢・六九頁、大隅・上八七頁)、この場合にも、営業再開の可能性が大であるとして反対する見解(松本・五一八頁、田中誠・下九三八頁)もある。両説は、その前提とする事実の出発点がちがうだけである。

社員が右の義務に違反してなした行為も、それ自体は有効である。しかし、会社は損害を受けたときには、その賠償を請求することができ、さらに除名、または業務執行権もしくは代表権の喪失の事由ともなる（商八六）。そのほか、社員が自己のために取引をしたときは、他の社員の過半数の決議により、その取引が会社のためになされたものと、みなすことができる（介入権）（商七四Ⅱ）（二）。

介入権は、他の社員の一人がその取引を知った時から、二週間内に行なわないとき、または取引の時から一年を経過したときは消滅する（商七四Ⅲ）。この期間は除斥期間である。

二　介入権の行使の効果については、**総則四七(2)**参照。なお商法第二六四条に関連する最高判・昭和二四・六・四・最高裁民集三巻七号二三八頁、新商判集2二六四条三、その解説として、大阪谷・百選一一二頁参照。

六五　会社との取引回避義務　社員は、他の社員の過半数の決議があったときに限り、自己または第三者のために、会社と取引をすることができる。そしてこの場合には、民法第一〇八条の規定の適用がない（商七五）。これは、取締役に対する、会社との取引の禁止に関する規定（商二六五）と同趣旨であるから、右規定に関連して後に述べる。

第五項　定款の変更

六六　変更の自由（一）　会社は、その本質または強行規定に反しない範囲で、その定款を変更することができる。その変更は、会社の目的または組織その他の規則のどれでもよい（少なくとも重要事項につき、変更の自由がないという説もある。服部・原理一九一頁）。かつ、目的（商六三1）の変更があっても、会社はその同一性を失わない（反対、岡野・三三頁以下）。

一　松本「株式会社に於ける定款自由の原則と其例外」商法解釈の諸問題二一一頁以下、服部「定款の変更」株式の本質と能力一六三頁以下参照。

定款の変更は、会社の内部関係においては、総社員の同意だけでその効力を生ずるが（商七二）、その変更を外部に対抗するためには、定款変更の登記を要する（商六七）（通説。大判・大正五・一〇・一四・民録二二輯一八九九頁、新商判集1一四七条六二、なお大判・昭和二・二・一二・民集六巻四五頁、新商判集上掲六五参照）。

六七　変更の方法　会社の意思により、定款を変更する場合には、『総社員』の同意が必要である（商七二）。これは、合名会社が個人的色彩の強い会社であることに、よるものである。しかし、相互に信頼関係のある社員が、任意にきめることであり、かつ会社債権者のためには、商法第八〇条が控えているから、定款の規定によって、この要件を緩和することを妨げない（通説である。大判・昭和五・五・三〇・民集九巻一〇三四頁、新商判集1一四七条六〇、西山・百選二〇二頁以下参照。反対、竹田・論叢二巻一号一三三頁）。

社員の同意の形式には、別に制限がない。口頭でも書面でもよい（前出大判・昭二・二・一二）。

社員の死亡とか、住所地の町名番地等の改正による変更のように、事実によって定款の変更を生ずる場合や、法定の事由による社員の退社（商八五）、または退社の告知（商八四）のように、法律が当然に定款変更の事由を予見している場合には、もちろん、総社員の同意を要しない。

社員に関連して定款の変更を生ずる場合としては、このほか、持分の譲渡のように、社員の移動を伴う場合をあげなければならない（商六三3参照）。この場合については、別項で詳述する（七〇以下）。

定款の変更により、登記事項が変更したときは、その変更登記をしなければならない（商六七、なお六五、六六参照）。

六八　目的の範囲外の行為　会社は、原則として、定款所定の目的の範囲内の行為しかできないのであるが、特に総社員の同意があれば、目的の範囲外の行為もできる（商七二）。これは、会社が目的外の行為をしようとする場合に、その都度、定款の変更をするのは、煩雑であるのみならず、各社員は、連帯無限の責任を負担しているため、既存の会社債権者が、このような行為により、著しく不利益を受けるおそれが少ないので、かかる便法を認めたのである。この場合には、会社は、法律により、臨時にその権利能力を拡張されるのである。

第六項　社員の移動

第一目　緒　言

六九　社員の移動、すなわち社員の資格の得喪は、既述のように（六七）、定款変更の一つの場合である（商六三3）。社員の資格の取得には、原始的なもの（設立行為、入社）と、承継的なもの（持分の譲受、死亡社員の持分の定款の特則による相続）とがある。また社員資格の喪失には、絶対的なもの（清算結了または合併による会社の消滅、退社）と相対的なもの（持分全部の譲渡、社員の死亡）とがある。

ここでは、持分の移動（第二目）、入社（第三目）、退社（第四目）についてだけ述べ、そのほかは、設立、合併および清算に関連する説明にゆずる。

第二目　持分の移動

第一　持分の譲渡

七〇　意　義　合名会社の社員の持分には、二つの意義がある。一つは、社員がその資格により、会社に対して有する権利義務の総体、すなわち社員権をいい（大判・明治三八・二・九・民録一一輯一四六頁、新商判集1七三条一）、持分の譲渡の場合の持分（商七三）がそれである。他の一つは、社員が会社の純財産額に対して持っている分け前を示す、計算上の数額である。会社の解散または社員の退社の場合にいう持分が、それである（商八九、一三一参照）。

持分の譲渡とは、或る社員の社員権の全部または一部を、他の者に譲渡することをいう（一）（二）。

一　持分の譲渡と、いわゆる下請契約、例えば社員が会社から受ける利益の配当を出資して、第三者と組合契約をする場合とは、区別しなければならない。

二　持分の譲渡は、社員権の譲渡であるということに対して、この説は、持分の一部譲渡があった場合に、譲渡人も譲受人も、完全な共益権の行使ができることの説明ができないから、持分の譲渡は、社員たる地位の譲渡だと解すべきである、という説がある（田中耕・上一三〇頁）。しかしこの説によっても、持分の一部譲渡が、何故に完全な共益権の移転を伴うか、やはり不明である。もし社員たる地位は、共益権と不可分であるというのなら、社員権は、社員がその資格において有する権利義務の総称であるから、その一部譲渡は、当然に完全な共益権を伴うものであると解するのに、なんらの不都合もないはずである。

持分の全部譲渡があった場合には、譲り渡す社員について退社の結果を生ずる。また持分の一部譲渡があった場合には、その社員の資格に変化を生じないで、持分が減少する結果だけを生ずる。そして持分の譲受人の方からみると、譲受人が他の社員であるときには、全部譲渡であっても、一部譲渡であっても、譲受人について、持分の増加を生ずるだけである。これに反して、社員以外の者が譲受人である場合には、常に、その者について入社の結果を生ずる（商八二参照）。

七一　要　件　持分の譲渡は、譲渡をする社員の持分に、変化を生ずるのみならず、全部譲渡の場合には、その社員の退社と、第三者の入社とを生じ、いずれも常に、他の社員の利害に関係があるから、商法は、他の社員の承諾がなければ、持分の全部または一部を、他人に譲り渡すことができないものとしている（商七三）。この点が、株式会社における株式の譲渡が、原則として自由であること（商二〇四Ⅰ、なお、六九八、七〇二参照）、著しくちがう点である。

他の社員の同意というのは、他の社員全部の同意のことである（一）。その承諾は、事前でも事後でもよいが、この承諾なしに行なわれた持分の譲渡は無効である。ただし、この要件は、会社の内部関係に関することであるから、定款に別段の定めをすることを妨げない（通説）。

一　数人の社員につき、同時に退社の結果が起こる場合でも、同様である。かつ、退社する社員間の同意の有無は、全く問題にならない（東京高判・昭和三七・一一・二九・最高裁民集一九巻八号一九六六頁）。最高裁判所の反対判例がある（**七九注一**）。

なお、持分を社員以外の者に譲り渡した場合には、定款変更の登記と公告とをしなければ、その譲渡を善意の第三者に対抗することができない（商六七、一二一）。かつ、登記後も二年経過したときに、初めて責任を免れることができるのである（商九三II、後述八三**3**）。

第二　持分の質入および差押

七二　総　説　持分は、社員権であって共益権を伴うから、理論上、質入または差押ができない。判例と通説とは(一)、持分が財産的価値を有することを理由として、その質入または差押を認めているけれども、質権者は、その債権の担保として、質権の行使を欲するものであって、社員としての義務の負担を、欲するものでない。いわんや、共益権の行使を欲するものでもないから、この説は失当である（菅原は反対）。かつ、商法第九〇条の反面解釈からも、通説をとるべきではない（同説、田中耕・一三二頁）。

一　西原・六一頁、大隅・上七八頁、大森・三一頁、石井下四二二頁、田中誠・下九三五頁、大判・大正五・七・六・民録二二輯一三五二頁、新商判集1七三条二。このほか、鴻「各種の会社における持分の質入」法学教室（ジュリスト別冊）六号一二六頁参照。

七三　持分の差押　商法は、右の理論に対し、持分の差押について、例外を認めた（商九〇、九一参照）。債務者は、自分の財産に対する債権者の強制執行を免れるため、合名会社を設立し、これに自己の全財産を移転することがある。債権者はこの場合に、設立取消の訴（商一四一）を起こすか、社員の破産を申請することができるけれども、いずれも不便であり、その利益を十分に保護することができない。ゆえに商法は、第九〇条および第九一条に特則を設けた。こ

れらの規定によると、

1　持分の差押は、社員が将来利益の配当および持分の払戻を請求する権利に対しても、その効力を有する（商九〇）。

2　差押債権者が、持分を換価し、またはその転付をうけるためには、その社員を退社させる必要があるので、その債権者は、営業年度の終りにおいて、その社員を退社させることができる（商九一）。すなわち、他の社員全体の同意を要しないのである（商七三参照）。ただし、そのためには、会社と差押をうけた社員とに対し、退社させることについて、予告をしなければならない（商九一Ⅰ、非訟一三五ノ一〇参照）。しかしその社員が弁済をするか、または相当の担保を供したときは、退社の効力を生じない（商九一Ⅱ）。

第三目　入　社

七四　意　義　入社は、広い意味では、会社の成立後に、社員の資格を原始的にまたは承継的に取得することをいい、狭い意味では、前者すなわち原始的に社員の資格を取得する場合をいう。本目では、その場合だけを述べる。承継的取得の場合についてはすでに述べた（前出七〇参照）。

入社は、会社債権者の利益を害することがないけれども（商八〇）、社員相互の人的信頼関係を基礎とする内部関係においては、社員の移動または増加を生じて、他の社員の利益に重大な影響があり、かつ、定款の変更を生ずる事項であるから（商六三3）、原則として、総社員の同意を要する（商七二）。

入社は、入社を欲する者と会社との間に、社員関係を作ることを目的とする、入社契約によって行なわれる（通説、大判・大正六・一・一六・民録二三輯五五頁、新商判集1七二条二）。

七五　登　記　入社は、定款に記載してある社員の氏名および住所（商六三3）の変更を生ずるから、変更登記をしなければならない（商六七、四九八Ⅰ1、商登六〇、五四）。新入社員には、会社に対して、入社の登記をすべきことの請求権がある（通説、大判・大正六・一・一六・民録二三輯五五頁、大判・大正七・六・一七・民録二四

輯一一四三頁、新商判集1六七条五、六)。

七六　責　任　入社契約によって社員になった者(新入社員)は、その加入前に生じた会社の債務についても、責任を負わなければならない(商八二)(後述九二3)。

第四目　退　社

第一　緒　言

七七　意　義　広義の退社は、社員がその資格を失う一切の場合をいうのであるが、商法は、特定の社員が会社の存続中に、社員の資格を終局的に失う場合だけを、退社と呼んでいる。

七八　規定の特色　社員の退社は、その者の社員資格を消滅させるから、その社員の利害に関係があるほか、他の社員の負担の増加および会社債権者の担保の減少を生ずる。退社は、このように、会社の内部および外部の関係に、重大な意味があるから、商法は、退社について、入社の場合とちがい、詳細な規定を設けている。

商法は、人的会社について、退社の制度を設けているが、物的会社については、この制度を設けていない。これは、人的会社では、一方において、社員相互の融和と信頼とを、重んじなければならないため、退社に制限を加える必要があるのと、他方において、社員が退社により、その重い責任(商九〇)を免れうる道を、開いておく必要があることに、よるものである。これに反して、物的会社では、会社財産が、会社債権者に対する唯一の担保であるから、社員にその出資義務を免れさせてはいけないこと(商一七七、二八〇ノ七、なお二〇〇参照)と、株式譲渡の自由が、原則として認められていること(商二〇四Ⅰ)とによって、退社の制度を要しないことに、よるものである(一)。

一　物的会社においても、株式の消却および併合に適しない株の処分(商三七六、三七七、三七九)があった場合に、ある株主が、それ以外の株を持っていないときは、株主の地位を失い、事実上退社することになる。ただ特に退社として論ずる必要がないだけである。

第二　退社の原因

七九　商法は、次の事由を退社の原因としている。

一　告　知（申出ともいう）（商八四）　これは、社員の意思だけによる退社である（八〇1）。

二　定款に定めた事由の発生（商八五1）

三　総社員の同意（商八五2）（一）　ただし、定款でこの要件を緩和すること（例えば社員の過半数の同意）を妨げない（通説。なお前出七一参照）。

一　最高裁判所は、合資会社につき、数名の社員が同時に退社の申出をした場合に、退社の申出をした社員も、退社の効力が生ずるまでは、社員たる資格を有するから、各退社申出者につき、その社員を除く他のすべての社員の同意を要するものとした（最高判・昭和四〇・一一・一一・民集一九巻八号一九五三頁、新商判集2補遺一四七条二）。その原審東京高等裁判所は、反対の立場をとった（昭和三七・一一・二九・最高裁民集一九巻八号一九六六頁）。後者の方が正しいと考える。

四　死　亡（商八五3）（八〇2）

五　破　産（商八五4）　これについては、定款をもって、破産は退社原因とならない旨の、定めをしてはならない（通説）。それは、破産した社員の持分を、会社債権者に対する弁済に充てなければ、破産の目的を達成できないからである。

六　禁治産（商八五5）　禁治産（民七以下）を退社原因としたのは、他の社員の利害に、著しい関係があるからである。もちろん、定款で異なる定め（例えば退社原因とならない旨の定め）をしてもよい。またその規定がなくても、清算中の合名会社においては、退社事由にならないと解すべきである（通説）。禁治産者が、設立の初めから社員になることはできる。なお、準禁治産（民一一以下）は退社原因でない。

七　除　名（商八五6、八六）（後述八〇3）

八　持分差押権者の権利行使（商九一）（七三2）

九　会社継続の不同意（商九五I但書）（後述九八1）

一〇　設立無効の判決確定後に、無効原因があった社員を除いて、会社を継続する場合（商一三九I）（四七、九八3）

八〇　以上に掲げた退社事由のうち、すでに述べたもの（八乃至一〇）を除き、特に説明を要するものについて、次に述べる。

1　告　知　定款に会社の存立時期を定めていない場合、または、ある社員の終身間、会社を存続させることを定めている場合には、各社員は、少なくとも六カ月前に予告をして、営業年度の終りに、退社をすることができる（商八四I）。また会社の存立時期の定めの有無と関係なく、『已ムコトヲ得サル事由』があるときは、社員は、いつでも退社することができる（商八四II）。この事由は、退社を欲する社員の一身上の事由をいう（一）。

（一）判例には、社員（妾）が、本店の所在地に居住できないことを「已ムコトヲ得ザル事由」と認めたものと（大阪地判・昭和七・一二・二〇・新聞三五〇九号九頁、新商判集1八四条三）、定款に競業禁止の規定があること、および新年宴会に招かれなかったこと（大阪控判・大正五・九・一四・新聞一一六八号三一頁、新商判集1八四条四）、会社の事業不振（東京地判・大正一四・六・三〇・評論一四巻諸四三一頁、新商判集1八四条五）が、ともに「已ムコトヲ得ザル事由」にならない、と解したものとがある。

告知による退社の規定は、社員の自由を長く拘束しないために、設けられたものであるから、定款によっても、その条件を、社員に不利益に変更することができない（民九〇条。通説である。例えば、松本・五五七頁、大隅・上八一頁、大森・二八頁、服部・原理一八一頁、石井・下四一七頁）。また、社員の退社が会社の解散を招く場合（例えば、社員が二人しかいない場合）にも、同じ理由から、退社の告知を妨げない（田中誠・下九五七頁、石井・下四一七頁、大判・昭和八・六・一〇・民集一二巻一四二六頁、新商判集1一四七条一二八。反対、大阪地決・明治四四・八・九・新聞七四三号二三頁、新商判集1一八四条二）。ただし、その場合の持分の払戻は、残余財産の分配の形で行なわれることになる。

2　死亡

(a)　合名会社の社員が死亡すれば、原則として（会社解散後の死亡が例外になる。後述一〇六）、その社員の退社を生ずるわけであるが、商法が特にこれを退社事由として掲げたのは、定款に別段の定めがなければ、相続人が、当然には社員にならないことを示すためである。そしてそのことは、合名会社が、社員相互間の人的信頼関係を基礎としており、社員の個性が重視されるため、相続人が当然に社員となることを、認めることができないことに、よるものである（一）。

一　この問題につき、小町谷「合名会社社員の死亡と相続人の地位」会社法の諸問題―松本古稀記念―四三九頁以下、国歳「合名会社の社員を相続すること」民商五巻七〇八頁以下、片山義勝・原論一六五頁以下参照。

(b)　相　続　右のように、死亡社員の社員資格の相続を認めないのは、他の社員の利益に、重大な関係があるために外ならないから、定款で、相続人が欲するならば、相続ができること、または他の社員の承諾を条件として相続することを、定めてもよい（いずれも通説である）。そして前の場合には、他の社員の承諾を要しないで、入社の効果を生ずる（大判・昭和二・五・四・新聞二六九七号六頁、新商判集1八五条三、この解説として菱田・百選一九〇頁参照）。

定款に、無条件入社を認める規定があっても、相続人は、その意に反して入社する義務を負わない（小町谷・前掲四四四頁）。また相続の限定承認をした場合には、社員の無限責任と相容れない行為をしているものであるから、入社の意思がない旨を示したことになる（通説。なお小町谷・前掲四四六頁参照）。

社員の死亡が、会社の解散後に起った場合には、定款に別段の定めがなくても、相続人が、当然に社員の資格を相続する（商一四四参照）。これは、この会社が、清算の目的の範囲内だけで存続するものであって（商一一六）、社員相互間の信頼関係を、重視する必要がないためである（小町谷・前掲四五八頁参照）。

社員の資格が相続された場合にも、業務執行社員、代表社員の資格は相続されない。それは、特に被相続人の人物・手腕を信頼して、委託されたものだからである。しかし、その他の権利義務は当然に承継される。

相続人は、もちろん、死亡した社員の持分の払戻請求権を出資して、新たに入社することができる（大判・大正六・四・三〇・民録二三輯七六八頁、新商判集1八五条二）。しかしそのためには、別に入社の手続を必要とするから、この場合と、死亡社員の資格を相続する場合とは、区別しなければならない。

3　除　名

(a)　意　義　除名とは、特定の社員について、社員の資格を奪うことをいう（一）。合名会社は、内部的には社員相互の信頼関係が、また外部的には各社員の信用が、重視されるものであるから、社員の中に、これに反する行為をする者がある場合には、その者を、この社団から追放する必要を生ずることがある。これにこたえたものが、除名の制度である。

一　大野「合資会社における社員の除名」演習Ⅲ（一二二）参照。

(b)　除名事由　除名は、その制裁をうける社員の意思に反して、行なわれるものであるから、その濫用をさけなければならない。ゆえに商法は、除名事由を列挙するとともに、最終的には、裁判所の除名宣言を、除名の効力発生要件としている（商八六Ⅰ）。

商法が列挙した除名事由は、(1)出資義務の不履行、(2)競業回避義務の違反、(3)業務執行もしくは会社代表にあたり、不正の行為をすること、または権限がないのに、業務執行もしくは会社代表に干与すること、(4)その他重要な義務をつくさないこと（それには、その社員の故意過失を問わない。大判・大七・七・二〇・民録二四輯一四二二頁、新商判集1八六条一二）（商八六Ⅰ）。

右の列挙は、公序良俗に反しないかぎり、定款で変更できる(二)。すなわち、その制限または排除もしくは追加を妨げない(松本・五六一頁、田中誠・下九六〇頁)(三)。

二　昭和一三年改正法以前の商法第七〇条は『左ノ場合ニ限リ』と規定して、本文のような解釈を許さなかった。改正法は、この文句を削ると同時に、裁判所の除名宣言を要件として、定款変更の自由を認めつつ、その濫用を牽制している。ゆえに、この要件を、定款の規定で排除することは、もちろんできない（次注に掲げた昭和一三年の大決、大隅・上八二頁、服部・原理一九二頁)。

三　大決・昭和一三・一二・一三・民集一七巻二三一八頁、新商判集1八六条四は、反対である。そして西原・民商九巻九二〇頁、大隅・上八二頁、石井・下四一八頁、大森・三三頁、和座・百選一九二頁がこれに賛成している。

(c)　除名手続　除名事由があるときは、会社は、(イ)他の社員の過半数の決議をもって、(ロ)その社員の除名の宣告を、裁判所に請求することができる(商八六Ⅰ)。

(イ)　他の社員の過半数の決議　他の社員とは、除名される社員を除いた、他の総社員のことである。そして(b)に掲げた除名事由がある数人の社員を除名する場合には、その数人を除いた他の総員の決議で足りる。かつ、この場合には、被除名者の数が、他の社員の数より多くてもかまわない(四)。けだし、そう解さないと、除名事由ある社員が通謀して、容易に多数決を阻止できるからである。しかも、被除名者の利益は、裁判所の判断により、常に保護をうけることを、忘れてはならない。

四　反対、大判・昭和四・五・一三・民集八巻四七〇頁、大判・昭和八・二・二一・新聞三五二九号一二頁、新商判集1八六条二〇、二一、田中耕・一五五頁、石井・下四一八頁、松岡・百選一九四頁。他の社員の数が、被除名社員の数より多い場合にだけ、一括除名を認める説もある（田中誠・下九六〇頁、伊沢・九八頁、大隅・上八二頁、松田・三七九頁)。

除名が解散を招く場合(例えば、二名の社員からなる会社の場合)にも、除名をすることを妨げない(五)。けだし、残存社員には、新入社員を求めて、会社を継続する方法(商九五Ⅱ)(後出九八参照)が、あるからである。

五　大隅・上八二頁、山口・百選一九六頁。反対、大決・大正一二・一・二〇・民集二巻一二頁、新商判集1八六条二、野津・新三九〇頁、田中誠・下九六〇頁、松田・三七九頁、石井・下四一九頁。

(ロ)　除名の宣告　除名は、裁判所の宣告を要する(商八六I)。規定には『除名……ノ宣告ヲ裁判所ニ請求スルコトヲ得』とかいてあるが、これは、他の社員の決議と裁判所の宣告とによって、除名ができることを示したものであって、被除名者が争わなければ、この方法によらなくてもよい意味に、解すべきでない(昭和一三年の大決、3b注三参照)。除名の宣告を求める訴は、本店所在地の地方裁判所の管轄に専属する(商八八)。その判決が確定したときは、本店および支店の所在地において、その登記をしなければならない(商八六III)(宣告した例として、福島地会津若松支判・昭四二・八・三一・タイムズ二一四号一八四頁参照)。

第三　退社の効果

八一　退社の効果として、社員はその資格を失うことになるから、社員としての権利義務が消滅する。ゆえに、一方において、退社員と会社との関係に結末をつける必要があり、他方において、会社債権者の保護をはからなければならない。

八二　会社と退社員との関係

1　商号変更の請求　会社の商号中に、退社員の氏または氏名を用いているときは、退社員は、会社に対し、その氏または氏名の使用を止めることを、請求できる(商九二)。けだし、いわゆる自称社員の責任(商八三)(後出九二2)を負う危険を、免れるためである。

2　持分の計算　ここでいう持分が、会社の純資産に対して、社員が持っている分け前を示すものであることは、すでに述べた(七〇参照。東京控判・大正四・一〇・一六・新聞一〇七六号一六頁、新商判集1八九条二)。

会社は、定款に別段の定めがないかぎり、退社員のために、持分の計算をしなければならない(商八七、八九、六八、民六八一参照)。

持分の計算は、原則として、退社の当時における会社財産の状況にしたがって、これをしなければならない(商六八、民六八一Ⅰ）。すなわち、退社当時の価格（営業価格）を基礎とする、財産目録および貸借対照表を作って、その退社員の持分を計算しなければならない。ただし、除名による退社の場合には、除名された社員の持分の計算は、除名の訴を提起した時を標準として行ない、かつ、その時から法定利息をつけなければならない（商八七）。それは、除名による退社の場合には、除名判決の確定までに、長い期間を要することが多く、そのため、不当な結果を生ずることが、あるからである。

退社当時に、まだ結了していない事項については、その結了後に計算をしてもよい（商六八、民六八一Ⅲ）。

3　持分の払戻　退社員の持分は、会社財産の清算の結果、積極的なこともあれば、消極的なこと、または零のことがある（一）。もし積極的ならば、退社員がその払戻を請求することができる。かつ退社員の出資が信用または労務であった場合にも、定款に別段の定めがないかぎり、払戻を受けることができる（商八九）。退社員が、退社まで全く出資義務を履行しなかった場合にも、持分の払戻請求権は存在するのであって、ただ未出資金と持分の額との相殺が、起こるだけである（大判・昭和一五・一〇・三〇・民集一九巻二一四二頁、新商判集1八九条三、この解説として、八木・百選一七頁参照）（二）（三）。

持分が消極的な場合には、退社員は、逆に、その消極的な額の払込をしなければならない。持分が零の場合に払戻請求権がないのは、いうまでもない。

一　社員の持分が、本文で述べたような、三つの場合を生ずるのは、定款の定めかたによるものである。例えば、出資が、甲三千円、乙千円、丙二千円であり、甲は損失を分担せず、乙丙がこれを平等に分担する定めがある場合に、会社が四千円の損失をしたとすると、各社員の持分は、甲三千円、乙マイナス千円、丙零である。その結果、会社の財産額と各社員の持分の額とは、相互に無関係であるが、各社員の持分の総額と会社の財産額とは、同一である。かかる状態のとき、もし甲が退社するならば、会社は、甲の持分払戻請求権に対応して三千円の債務を負担し、乙と丙は商法第八〇条に基づく責任を負うことになる。

二　退社の予告をした社員の持分は、その予告のときに差押ができるか。中小企業等協同組合の脱退につき、できるとした判例がある（京都地判・昭四二・二・四・金融法務四七一号三四頁）。

三　除名による退社の場合には、持分払戻請求権を失う旨の定款の定めは、有効である（東京高判・昭四〇・九・二八・下級裁民集一六巻九号一四六五頁、新商判集2補遺八六条二）。退社員の持分払戻請求権は、定款に別段の定めがなければ期限の定めのない債権である。したがって会社は、社員の退社の時からではなく、催告の時から遅滞に陥る（民四一二Ⅲ）（大判・大四・五・二八・民録二一輯八五〇頁、新商判集1八九条一）。

4　財産の返還　　退社員が、財産の使用権または収益権だけを出資していた場合には、その返還を請求できる。けだし、退社とともに、その出資義務が消滅するからである。

八三　債権者の保護　　退社員は、退社により社員の資格を失うが、本店の所在地において、退社の登記がある前に生じた会社の債務につき、責任を負う（商九三）（後出九二3）。

第三款　会社の外部の関係

第一項　総　説

八四　会社は設立登記によって成立するから（商五七）、合名会社の外部関係は設立登記後に発生する。そして商法は、この関係について、会社代表および社員の責任について規定した。いずれも第三者ことに会社債権者の利害に関するものであるから、その規定は、原則として強行規定である。

第二項　会社代表

八五　代表機関　合名会社の業務執行社員は、原則として、各自会社を代表する(商七六)。すなわち、法律上当然の代表機関である。ただし、定款または総社員の同意をもって、業務執行社員のうち、特に会社を代表すべき者を定めることができる(商七六但書)。また社員以外の者を、代表機関とすることはできない(六〇注二参照)。代表権を有する社員を代表社員という。社員のうちに、代表権がない者がある場合には、会社を代表する者の氏名を登記しなければならない(商六四I5)。

代表社員がその重要な義務を怠るか、または会社を代表するに著しく不適当なときは、会社は、他の社員の過半数の決議をもって、その代表権喪失の宣告を、本店所在地の地方裁判所に請求することができる(商八六II・八八)。

会社は、代表権の誤用または濫用を防ぐため、定款または総社員の同意をもって、数人の社員が共同して、会社を代表すべき旨を定めることができる(共同代表)(商七七I)。その場合には、その事実を登記しなければならない(商六四I6)。

共同代表の場合には、その数人が、共同して会社を代表することを要するから、単独でなした代表行為は無効である(但し商一二参照)(一)。しかし、第三者の意思表示を受ける権限は、各代表社員に与えられている(商七七II・三九II)(二)。またある事実の知不知が、法律行為の効力に影響を及ぼす場合には、共同代表者の一人の知不知で足りると解すべきである。

一　共同代表者のうちの一部の者が、特定の行為につき、他の共同代表者から、代表権行使の委任を受けて、その名義で代表行為をすることは妨げない(東京高判、昭三九・三・三〇・下級裁民集一五巻三号六五二頁、新商判集2二六一条八七、この解説として、服部・銀行取引判例百選一四頁参照)。

二　受働代表につき、代理権があると信ずべき正当の理由は、すべてその代表者について認めるべきである（大判・大二・四・一九・民録一九輯二五五頁参照）。

八六　代表機関の権限　代表社員の権限は、会社の営業に関する一切の裁判上または裁判外の行為に及び（商七八Ⅰ）、これに制限を加えても、それを善意の第三者に対抗できない（商七八Ⅱ 民五四）（一）。

一　合名会社の受働代表につき、民法一一〇条の「正当ノ理由」を認めなかった例として、最高判・昭和四二・七・二〇・タイムズ二一〇号一四九頁参照。

第三項　社員の責任

八七　特色　合名会社の社員は、会社財産をもって、会社の債務を完済することができないか（債務完済不能）、または会社に対する強制執行が効を奏しないときは（強制執行不奏効）、各自連帯して、その弁済の責に任じなければならない（商八〇）。この点が、合名会社の最も重要な特色である（一）。

一　田中耕・合名会社社員責任論参照。

会社は法人であるから（商五四Ⅰ）、理論上は、社員が会社債権者に対して、直接に責任を負う理由がない。しかし商法は、合名会社が社員の個性を重視するものであることに着眼して、会社債権者保護のため、商法第八〇条を設けた（民六七五との差に注意せよ）。したがって、定款に各社員の損益分配に関する規定があっても（商六八、民六七四参照）、これを会社債権者に対抗することが、できない。

八八　責任追及の要件　社員の責任自体は、会社が債務を負担した時に発生するが、会社の債権者がこの責任を問うためには、会社の債務完済不能、または強制執行不奏効の事実を、立証しなければならない（商八〇）。

1 債務完済不能　会社財産による債務の完済不能とは、会社債権者が債権を実行しようとする時の会社の消極財産額が、純財産額を超過する事実をいう。

右の計算は、通常貸借対照表上の評価を基礎とすべく（田中耕・一四一頁、大隅・上九九頁、石井・下九四九頁）(一)、非常貸借対照表の評価によるべきでない（反対、松本・五三〇頁、田中誠・下九四九頁、松田・三七四頁）。けだしこの場合には、会社は営業を継続しているのであって、社員の責任の履行条件を決定することだけが目的だからである。債務完済不能の事実は、計算上それが明らかになればよいのであって、現実に強制執行をすることを要しない(二)。

一　通説、大判・明治四四・一二・一五・民録一七輯八〇一頁、大判・大正七・七・二・民録二四輯一三三五頁、新商判集1八〇条一、九、一一、この解説として、谷川・百選一八四頁参照。

二　判例は、資産たる債権については、その名義上の数額によらず、債務者の資力や、弁済期限等を参酌して評価した、客観的取引額によるべきものとしている（大判・昭和六・一一・一〇・民集一〇巻九三九頁、新商判集1八〇条八）。なお判例は、違法に配当した残余財産につき、社員に返還資力があるときは、債務完済不能でないものとしている（大判・大正七・七・二・民録二四輯一三三五頁、新商判集1八〇条一五）。正当である。

2 強制執行の不奏効　会社債権者は、会社財産に対する強制執行が効を奏しないにかかわらず、会社の債務完済不能の事実を、立証できないことがある。そこで商法は、債権者が、強制執行不奏効の事実を立証して、社員の責任を追求できることにした（商八〇Ⅱ）。この事実は必ずしも、当該債権者が強制執行をした場合に限らない。第三者の強制執行が不奏効であったことの立証で足りる。

強制執行不奏効の場合にも、社員が会社に弁済の資力があり、かつ、執行が容易であることを証明したならば、社員は、直接に会社債務を履行することを要しない（商八〇）。けだし、会社債権者は、その財産から弁済をうければよいからである。

八九　責任の内容　社員の責任は、会社債務を弁済することであって、会社債務と同一の内容のものである。しかし、会社が社員に対して負担する債務については、その債務が、社員の資格に基づくものであると、否とを問わず、各社員は、連帯責任を負わない。すなわち、自己の損失分担の割合に応じて弁済をすればよい(通説)。もしそうでないと、弁済をした社員が、代位権(民五〇〇)を行使できるため、さらに他の社員の商法第八〇条による責任を、追求できることとなって、無限に循環を反覆する結果になるからである(仙台高判・昭和四〇・七・一九・下級裁民集一六巻七号一二五六頁)。

社員は、会社債務の全額を履行する義務を負うのであって、その全額と会社の純財産額との残額を、弁済すれば足りるのではない(一)。

一　通説、大判・大正一三・三・二二・民集三巻一八五頁、大判・昭和九・一二・一二・新聞三七九〇号一五頁、新商判集１八〇条四、五、この解説として、米津・百選一八六頁参照。

九〇　責任の性質　各社員は、会社の債務につき、人的・無限・連帯の責任を負担する。そして社員の責任は、常に会社債務の上に成立するものであるから、一種の保証的な性質をもっている。その意味で、それは補充的・従属的責任である(一)。ゆえに、社員は自分がその債務者に対して有する抗弁のほか、会社が有する抗弁(例えば、会社債務の不存在、時効による消滅)(二)を提出することができる(商八一I)。このほか、商法は、会社がその債権者に対し、相殺権、取消権または解除権を有するときは、社員がその者に対し、債務の履行を拒むことができるものとしている(商八一II)(三)。

一　大判・明治四四・一二・一五・民録一七輯八〇二頁、大判・昭和三・一〇・一九・民集七巻八〇八頁、新商判集１八〇条一九、二〇、この解説として、菅原・百選一八八頁参照。

二　会社債務の時効の中断は、社員の責任にも効力を及ぼす（東京地判・昭和三・一一・一・新報一七一号二七頁、新商判集１八〇条二二)。

三　多くの説（田中耕・一四七頁、田中誠・下九五〇頁、大隅・上九七頁、石井・下四〇九頁）は、社員がこの場合に、債務の履行を拒絶できるだけである、と解している。しかし、会社の有する取消権または解除権は、本来、会社だけが行使できる性質のものであり、また相殺権も、社員が任意に処分できないものであるところ、商法は便宜上、社員がこれらの権利の行使ができることにしたものと、解すべきである。

九一　**社員の弁済の効果**　社員が会社債務を弁済した場合には、会社に対し求償できるほか（民四五九参照）、債権者に代位することができる（民五〇〇）。また他の社員に対する関係においては、各自の負担部分につき求償できる（民四四二）。この求償に対しては、他の社員は、会社に資力があることを理由にして、履行を拒むことができない（松本・五三八頁、田中誠・下九五二頁、大判・大正六・一・三一・民録二三輯一〇三頁、新商判集1一四七条一二四）。求償をする社員には、右の二つの求償権を選択して行使すること、および、一方によって満足をえなかった部分について、他方を行使することの自由がある。

九二　**責任の負担者**　会社債権者に対する責任の負担者は、理論上は、会社債務発生当時の社員である。しかし、商法は次の特則を設けている。

1　新入社員　会社の成立後に、会社に加入した社員は、その加入前に生じた会社の債務についても、責任を負う（商八二）。これは、会社の信用を高めるための特別的規定である(一)。

一　松本・五三九頁、小町谷「商法八二条は当然の規定であるか―並に新入組合員の既存債務に対する責任について―」民商四四巻六号一頁以下。多数説は、法人性に基づく当然の注意的規定と解している（岡野・五一五頁、田中誠・下九四九頁、伊沢・八六頁、石井・下四〇六頁）。

2　自称社員　社員でない者に、自分を社員であると信じさせる行為があったならば、その者は、誤認に基づいて会社と取引をした第三者に対して、社員と同一の責任を負わなければならない（禁反言の原則）（商八三）（大判・昭和五・一〇・

三〇・民集九巻一一号九九九頁、新商判集1八三条二参照）。

この自称社員の責任に基づいて弁済をした自称社員は、会社に対して求償権を取得するが、他の社員に対する求償権はない。けだしこの者は、内部関係において社員でないからである。

3　**退社員**　退社員（商八四Ⅰ・八六参照）は、本店の所在地で、退社の登記があるまでに生じた会社の債務について、責任を負う（商九三Ⅰ）。これは、会社債権者保護のために、商法が特に設けた例外規定である。それゆえにまた、商法はその責任が、退社の登記後二年内に、請求または請求の予告をしない会社債権者に対して、登記後二年を経過したときに、消滅することにした（商九三Ⅱ）。

他の社員の同意をえて、持分の全部譲渡をした社員も、結果的には退社することになるのであるが、商法は疑いを避けるため、狭義の退社員（七七参照）と同一の責任を負うことを、明らかにしている（商九三Ⅲ）。

退社員の責任は、会社債権者の利益保護をはかったものであるから、退社の事実を知って会社と取引した者に対しては、登記がなくても、責任を負担する必要がない（一）（二）。

一　石井・下四〇六頁、伊沢・一一二頁、服部・提要六八頁、大隅・上八五頁、実方・Ⅰ九八頁、喜多・百選一九九頁。反対、大判・昭和一四・二・八・民集一八巻一号五四頁、新商判集1九三条六（商法一二条の適用を排斥している）、松本・五四一頁、松田・三八四頁、田中誠・下九四八頁（いずれも公告の有無すら問わない立場である）。

二　死亡が退社事由であっても、商法第九三条は、当然に適用がある（田中誠・下九四八頁、石井・下四〇六頁、伊沢・一一一頁、大隅・上八五頁、松田・三七三頁、古瀬村・百選二〇〇頁。反対、大判・昭和一〇・三・九・民集一四巻三号二九一頁、新商判集1一四七条一四九）。会社債務の発生原因が取引でない場合、例えば、不法行為が原因である場合にも、債権者の退社事実の知不知は、その権利行使の時期に関係があるから、やはり、商法第九三条を適用すべきである。

九三　責任の消滅　商法第八〇条に基づく社員の責任は、本店の所在地において解散の登記をした後、五年内に、請求または請求の予告をしない会社債権者に対しては、登記後五年（除斥期間）を経過したときに消滅する（商一四五I）（一）。それは、社員の利益を保護すると同時に、清算の終了を促進するためである。もっとも、その除斥期間の経過後でも、分配しない残余財産がなおあるときは、会社の債権者は、これに対して弁済を請求することができる（商一四九II）。自称社員は、社員と同一の責任を負うものであるから、その責任も、その期間の経過により消滅する。

一　手形上の利得償還義務について、正当に本条の適用を認めた判例がある（大判・昭和一四・二・一四・民集一八巻二号一〇七頁、新商判集1一四七条一九二）。

第四節　会社の解散・継続・組織変更

第一款　解　散

九四　解散事由　商法第九四条は、合名会社の解散事由を列挙している。そのほか、社員の欠亡も解散事由になる（民六八II 2参照）。

1　存立時期の満了、その他定款に定めた事由の発生（商六四I 3参照）　この場合には、会社の継続（後出九七以下）ができる（商九五I）。

2　総社員の同意　総社員の同意は、必ずしも書面によることを要しない（大判・大正一五・一・二三・民集五巻六頁、新商判集1九四条四）。この場合にも、会社の継続ができる（商九五I）。

3　合　併（前出二五以下）

4　社員が一人となったこと　この場合には、新たに社員を加入させて、会社を継続することができる（商九五II）。

5　会社の破産　合名会社は、支払不能の場合に限り破産する（破一二七Ⅱ）。この点が、株式会社と著しくちがう点である（破一二七）。しかし合名会社も、解散後には、債務超過が破産原因になる（破一二七Ⅱ、商一二四Ⅲ、民八一）。破産の後も、強制和議の成立または破産の廃止があれば、会社を継続することができる（破三一一、三一二、三四七、三四八）。

6　解散を命ずる裁判　これは、解散命令による場合（商五八）（前出二四参照）と、解散判決による場合（商一一二Ⅱ）とをふくむ。各社員は、やむをえない事由があるときは㈠、会社の解散を裁判所に請求することができる（商一一二Ⅰ）。その訴は、会社の本店所在地の地方裁判所の管轄に専属する（商一一二Ⅱ、八八）。この判決は、形成判決であって、その確定により、会社が解散する。原告敗訴の場合には、原告に悪意重過失があったとき、会社に対し、連帯して損害賠償をしなければならない（商一一二Ⅱ、一〇九Ⅱ）。

㈠　判例に現われた「已ムコトヲ得サル事由」をあげよう。反目している社員の解散不同意（大判・昭和一三・一〇・二九・大判全集五輯一一二三頁、新商判集１一四七条一五七）、社員相互間の不和による円満なる事業の継続不能（東京地判・大正一〇・八・二〇・新聞一九一七号二一頁、新商判集１一一二条一）、しかし他に打開の道がある場合（例えば除名事由がある社員の除名）には、解散判決を求めることができない（最高判・昭和三三・五・二〇・民集一二巻七号一〇七七頁、新商判集１一一二条五、この解説として、西島梅・百選二〇六頁参照）。

九五　解散の効果　会社が解散すると、合併の場合を除き、清算手続または破産手続が開始する。そして会社は、この目的の範囲内においてだけ、存続することになる（商一一六）（九七参照）。合名会社においては、特に解散の結果、(1)業務執行権および会社代表権が消滅し、(2)退社を認められず、(3)社員の責任の消滅の法定期間が始まる（商一四五Ⅰ）。

九六　解散登記　会社が解散したときは、合併および破産の場合を除くほか、本店の所在地においては二週間内に、また支店の所在地においては三週間内に、その登記をしなければならない（商九六、商登六）。各社員は、他の社員に対し、登記の申請に必要な手続をすることを、請求することができる（大判・大正一五・一・一三・民集五巻六頁、新商判集１九六条一）。破産の場合および裁判所の命令または判決による解散の場合の登記は、裁判所の嘱託による（破一一九―一二二、非訟一三五）。

第二款　会社の継続

九七　会社が解散すると、合併の場合を除き（二五以下参照）、その目的を遂行する能力を失って、清算手続または破産手続（以下清算という）が開始する。そして会社は、この目的の範囲内でだけ存続することになる（商一一六）。しかし、もし社員中に、清算を回避して、会社の経営を継続しようとする者があるならば、そしてそれを欲しない社員（商九五参照）、またはそれに適しない社員（商一三八、一三九、一四一参照）の利益を保護できるならば（退社の擬制による持分の払戻。商八九、九五、一三九、一四二参照）、あえて清算を強制するに及ばない。けだしこの場合には、会社の継続によって、会社債権者の利益が、全然影響をうけないからである（商八〇）。要するに、会社の継続を欲する社員の意思の効力を認めて、清算と会社の新設という、あらゆる意味で不経済な手続を、はぶく方法を設けるのが妥当である。ゆえに商法は、会社の継続について特に規定を設けた（一）。

一　岡野・一二九頁、一三五頁以下。解散を広義の定款変更の一場合と見て、会社の継続を説く立場（大隅・上一〇二頁）は、解散事由のうちに、定款変更と考えられない場合があること（商九四6参照）を、看過している点をしばらくおき、結果的には、同一理由を認めるものと見てよかろう。企業維持の見地とか要請という理念をあげる説（西原・四六頁、石井・下四二六頁）もあるが、これは物的会社で意味があるだけで、人的会社については、特記するに及ばないことである。

九八　解散した合名会社は、次の場合に、その継続ができる（破産による解散の場合の継続については、一〇〇参照）。

1　存立時期の満了、その他定款に定めた事由が発生した場合、または総社員の同意により解散した場合　この場合には、社員の全部または一部の同意をもって、会社を継続することができる。そして継続に同意しなかった社員（一）は、退社したものとみなされる（商九五I）。

一　不同意につき争がないことを要する（山口地宇部支判・昭和四三・二・一六・タイムズ二一九号一七三頁）

2　社員が一人となった場合　この場合には、その社員は、新たに社員を加入させて、会社を継続することができる（商九五Ⅱ）。かつ、新たに有限責任社員を加入させて、合資会社として、会社を継続することができる（商一一三Ⅲ）。

3　会社の設立の無効（商一三九）または取消（商一四〇、一四一）の判決が確定した場合　これらの場合には、解散に準じて清算が行なわれるが（商一三八、一四二）、設立の無効または取消の原因が、特定の社員にだけある場合には、他の社員の一致をもって、会社を継続することができる。この場合には、無効または取消の原因がある社員は、退社したものとみなされる（商一三九Ⅰ）。かつ、その退社により、残存社員が一人となった場合でも、その社員は、新たに社員を加入させ、合名会社または合資会社として、会社を継続することができる（商一三九Ⅱ、一四二、九五Ⅱ。なお一一三参照）。

九九　**継続ができる時期**　合名会社の継続は、会社が本店の所在地において解散の登記をした後でもできる。この場合には、本店の所在地においては二週間、支店の所在地においては三週間内に、継続の登記をしなければならない（商一三九Ⅱ、七九、商登六五）。

合名会社の継続は、清算結了の時までなすことができる（大決・昭和八・二・七・民集一二巻二号一三二頁、新商判集1九五条一、上田宏・百選二〇八頁参照）。そして継続会社の性質は、従来の会社と全く同一である。

一〇〇　破産法の規定によると、合名会社（その他の会社も同様である）が破産宣告により解散した場合に、もし強制和議の可決があったならば（破三〇六参照）、会社は、定款変更に関する規定（商七二）(一)にしたがい、会社を継続することができる（破三一一、三二一、独商三〇七Ⅱ参照）。また、同じ方法により、破産廃止の申立をすることができる（破三四七、三四八）(二)。

一　破産法第三一一条は「定款ノ変更ニ関スル規定ニ従ヒ」と規定しているだけである。ゆえに、合名会社の場合には、商法第七二条の規定による。すなわち、総社員の同意により、また定款に別段の定めがあれば、その規定により（六七参照）、会社を継続することができることになる。そしてその決議があったのち、強制和議認可の規定（破三二一）、または破産廃止の規定（破三四七以下）により、会社継続の効果を生ずるとともに（大阪地判・昭和三〇・四・二二・下級裁民集六巻四号八〇七頁、新商判集１一二四条三七）、破産の取消又は破産の廃止の嘱託登記がなされる（破一二一。この点につき味村・詳解商業登記七五二頁参照）。

二　加藤・破産法要論四二六頁以下、同「定款ノ変更ニ関スル規定ニ従フノ意」破産法研究七巻三八二頁以下参照。

第三款　組織変更

第一項　総説

一〇一　意義　会社の組織変更とは、会社がその法人格の同一性を維持しながら、他の種類の会社に変わることをいう。

一般原則によれば、会社が他の種類の会社に変わるには、一方で、従来の会社を解散し、他方で、他の種類の会社を設立しなければならない。会社の組織変更は、人的会社についていえば、このような不経済な二重の手続をふむことを避けるために、設けられた制度である。また物的会社についていえば、右の理由のほか、ことに企業維持の必要という、国民経済上の要求に基づいて、認められたものである。

一〇二　制度　組織変更には、会社の存続中に行なわれる場合（商一一三I、一六三、有六四、六七）と、会社の解散事由が発生した後に、会社をさらに継続させるために行なわれる場合（商一一三II、一六二II）とがある。そのいずれの場合であっても、合名会社と合資会社との相互間（商一一三I、一六二II）、または株式会社と有限会社との相互間（有六四、六七）だけで、組織の変更ができるのであって、人的会社と物的会社との間では許されない。けだし、それを許すと、複雑な法律関係を生ずるのみならず、それをあえてするほどの実益も、ないからである。

一〇三　性　質　組織変更は、会社の単独行為であり、そして従来の会社が、その法人格の同一性を維持しながら、その法律上の形態を変更する行為にすぎない。それゆえ、合併のように、他の会社の権利義務を承継する関係を生じない。また新たな法律上の人格を作る設立行為とも異なる。商法は、規定のうえでは、変更について、変更前の会社の解散登記と、変更後の会社の設立登記とを、命じているが（商一一四、一一六三、有六六、一六二Ⅲ）、これは単に便宜上、登記の手続を規定したにすぎない。

第二項　組織変更の手続

一〇四　方　法　合名会社を合資会社に変更するには、(1)従来の社員中のある者を、有限責任社員にする方法と、(2)新たに有限責任社員を加入させる方法とがある（商一一三Ⅰ）。

1　従来の社員の責任を、有限責任に変更した場合には、その社員は、会社が本店の所在地において組織変更の登記をするまでに生じた会社の債務について、無限責任社員としての責任を免れることができない（商一一五Ⅰ）。ただし、その責任は退社員と同一の除斥期間の経過によって消滅する（商一一五Ⅱ、九三Ⅱ）。

2　新たに有限責任社員を加入させた場合には、その社員は、加入前に生じた会社の債務についても、責任を負わなければならない（商一四七、八二）。

3　同意と登記　組織変更をするためには、まず、総社員の同意が必要である（商一一三）。次に、同意があった日から、本店の所在地においては二週間、支店の所在地においては三週間内に、合名会社については解散の登記、合資会社については、設立の登記と同じ内容の登記（商一一四、九Ⅰ）を、しなければならない（商一四一）。そして、この設立登記の効力は、登記の一般原則（商一二）によって決すべきものである。けだし組織変更は、既存の会社が、ただその組織を変えただけで、法人としては、すでに成立しているからである（一）。

一　反対、田中誠・下九七八頁、大隅・概説二七一頁、石井・下四二三頁（いずれも商法第五七条を根拠にしている）。

4　組織変更の無効　組織変更の無効については、設立無効の規定を準用するのが妥当である（石井・下三二七頁）。けだし組織変更が無効となれば、変更後の会社が存在できなくなるため、理論上、設立無効の場合と同一の関係を生ずるからである。

第五節　清　算

第一款　総　説

一〇五　意　義　会社が解散した場合には、合併および破産による場合のほか、会社の法律関係の結了と、その財産の処分とを、しなければならない。その手続を清算という。合併と破産の場合を除いたのは、合併の場合には、消滅会社の権利義務が、包括的に存続会社または新設会社に承継せられるし、破産の場合には、破産管財人が、破産財団の管理や換価や配当の事務を担当するから、清算の必要がないためである。

一〇六　清算会社　会社は解散しても、その人格を失わないで、清算の目的の範囲内においてなお存続する（商一一六、破四）。これを清算会社という。清算会社は、その権利能力が、清算の目的の範囲内に制限されるだけで、解散前の会社と同一性を失わないから、この会社にも、清算の目的に反しないかぎり、解散前の会社に関する規定が準用される。それゆえ、例えば会社の商人資格、商号、社員の出資義務や責任には、変化を生じない。ただし、会社の営業の継続を前提とする規定は準用がない。すなわち、各社員は、業務執行権や代表権を失い、清算人が清算事務を行なうことになる。他方において、社員相互間の関係も、その個性を重視する必要がなくなって、財産の分配だけが問題であるから、社員は競業回避義務を負わず（商七四）、社員の退社（商六五以下）、入社、持分の譲渡に関する制限（商七二）もなくなる。また社員が死亡したときは、その相続人が当然に社員になる。ただし、数人の相続人がある場合には、清算に関して社員の権利を行なうべき者一人を、定めなければならない（商一四四）。さらにまた、社員が破産したときは破産管財人が、禁治産者となったときは後見人が、それぞれ社員の権利を行使する。

一〇七　清算の種類　合名会社の清算には、任意清算と法定清算とがある。前者は、定款の規定または総社員の同意で定めた方法によって行なう清算をいい（商一一七I参照）、後者は、法定の手続によって行なう清算をいう（商一二〇参照）。そして合名会社には、この二種の清算方法の選択が許されている。

合名会社（合資会社も同様。商一四七）に任意清算が許されることは、株式会社（有限会社も同様。有七五、商一二二以下）にそれが許されないで、法定清算が強制される点と（商四一七以下）著しいちがいである。これは、合名会社においては、内部的には、社員相互の信頼関係が基礎となっているのと、外部的には、各社員が、解散後も一定の期間、無限責任を負担すること（商一四五）によるものである。

第二款　任意清算

一〇八　任意清算は、定款の規定または総社員の同意により、会社財産を自由に処分するものであって、例えば、現物の分配、営業譲渡の方法によることもできる。しかし、定款に定めがあるというためには、特に清算についての規定を要するのであって、業務執行に関する規定があるだけでは足りない。

合名会社の清算は、原則として、任意清算によることができるのであるが（商一一七I本文）、社員が一人となった場合（商九

4四）、および解散を命ずる裁判があった場合には、必ず、法定清算によらなければならない（商一一七II。なお、一二二参照）。これは、清算が公正に行なわれることを要するためである。

一〇九　対外関係　任意清算の場合にも、会社債権者の利益は保護しなければならない。ゆえに商法は、会社が解散の日から二週間内に、財産目録および貸借対照表を作ること（商一一七I但書）、その期間内に、会社債権者に対して異議申出の催告をすること（商一一七III、一〇〇）、異議を述べた債権者に対して、弁済または相当の担保の提供、もしくは弁済のため、相当な財産の信託をすることを命じている（商一一七III、一〇〇）。そしてもし会社がこれらの手続に違反して、その財産を処分したならば、債権者が、その処分の取消を、裁判所に請求することができるものとしている（商一一八I本文）。

このほか商法は、社員の持分を差押えた者のために、会社財産の処分につき、その者の同意を必要としている（商一一七IV）。それは、元来、持分差押権者は、社員の残余財産分配請求権の上にも、権利を有すべきことによるものである（商九〇の類推）。もし会社が、持分差押権者の同意を得ないで、会社財産を処分したならば、その者は、会社に対し、差押持分に相当する金額の支払を請求するか、またはその処分の取消を、裁判所に請求することができる（商一一九。一一八参照）。

一一〇　清算の結了　定款または総社員の同意をもって定めた、会社財産の処分方法に従い、会社がその財産の処分を完了したときは、その完了後、本店の所在地においては二週間、支店の所在地においては三週間内に、清算結了の登記をしなければならない（商一一九ノ二、商登六四I）。

一一一　書類の保存　会社の帳簿ならびにその営業に関する重要書類は、任意清算の場合には、本店の所在地において解散の登記をした後一〇年間、これを保存することを要する。その保存者は、社員の過半数の決議によってこれを決する（商一四三）。

第三款　法定清算

一一二　清算人　法定清算は、法定の手続によってなす清算である。清算人は、清算手続の管理者であって、清算会社の清算事務の執行機関であり、代表機関である。法定清算は、裁判所の監督に服する（非訟一三六ノ二、一三五ノ二五）。

清算人には、法定清算人、社員の決議による清算人、裁判所の選任する清算人の三種類がある。

1　法定清算人　他の二種の清算人が選任されなかった場合に、法律上当然に、清算人になるものであって、会社の業務執行社員（商七〇）がこれにあたる（商一二一）。そして業務執行社員中に、会社代表権を有する者が特定している場合でも（商六七）、他の業務執行社員もまた清算人になる。ただこれらの社員は、代表権を有しないだけである（商一二九、一二三I3参照）。

2　社員の決議による清算人　会社は、社員の過半数の決議により、特に清算人を選任することができる（商一二一但書）。かつ、この場合には、必ずしも社員の中から選ぶことを要しない。これは、清算事務の遂行が、特殊の法律上および実務上の知識を要求するため、適任者を選ぶ必要があることによるものである。この清算人は、社員の過半数の決議によって、いつでも解任することができるし（商一三二I）、いつでも辞任することができる（民六五一）。

3　裁判所の選任する清算人　社員が一人となったこと、または解散を命ずる裁判があったことが、解散事由である場合には、解散を命ぜられるような会社の社員は、信頼できないことから、利害関係人（社員の債権者も含まれる。大決・大正八・六・九・民録二五輯九九七頁、新商判集1一二二条三）もしくは法務大臣の請求により、または職権をもって、裁判所が清算人を選任する（商一二二）。いずれも、清算が公正に行なわれることを期するためである。また設立無効の判決が確定した場合には、解散に準じて清算が行なわれるから（商一三八前段）、裁判所は、利害関係人の請求により、清算人を選任する（商一三八後段）(一)。

以上三種の清算人につき、重要な事由があるときは、裁判所は、利害関係人の請求により、清算人を解任することができる（商一三二II）。

一　永沢信義「会社の清算人の地位と其の選任及解任」民商一四巻四二五頁。

一一三　清算人の登記　清算人については、(1)清算人の氏名および住所、(2)代表清算人を定めたときは、その者の氏名、(3)清算人の共同代表を定めたときはその規定を、登記することを要する（商一二三Ⅰ・Ⅱ、商登六二Ⅰ・Ⅱ）（一）。そして右事項の登記期間は、業務執行社員が清算人となった場合（商一二三Ⅰ）と、清算人の選任があった場合（商一二三Ⅱ）とによってちがう。かつ、登記事項に変更を生じた場合には、いずれの清算人についても、法定の期間内に、変更登記をしなければならない（商一二三Ⅲ、六七、商登六三）。なお、清算人の登記は、代表清算人（商一二九）がこれをなすべきである（商四九八Ⅰ1、昭和三七年改正法附則一四、商登六二、六三）。

一　清算人選任の登記は、会社解散の登記を前提とするから、解散登記と同時、もしくはその後に、なすべきものである（大決・昭和一三・九・一五・民集一七巻二〇号一八四五頁、新商判集1一二三条一）。

一一四　清算事務　清算人は、清算の目的の範囲に属する一切の事務を、処理する義務を負う。商法は、その主要なものを列挙しているが（商一二四）、これは例示にすぎない。ゆえに、清算事務執行のために必要な、一切の行為ができるのみならず、会社の功労者に対する慰労金の贈与のようなこともできる。また清算事務の執行は、必ずしも、第一二四条に記載した順序によることを要しない。

1　主要な事務

(a)　現務の結了　これは、解散当時までの業務に結末をつけることをいう。そのうちには、現務の結了に必要なかぎり、売買契約履行のために、商品を買入れたり、第三者と新しい法律関係を結ぶことも、含まれる。

(b)　債権の取立　これは、履行期の到来している債権の現実の取立のほか、例えば、相殺、和解、債権の譲渡換価、取立のためにする為替手形の振出、および貸金回収のためにする抵当権の実行（会社がみずから競落することを妨げない）をも含む。

社員に対する出資請求権については、会社の現存財産が、その債務を完済するに不足なときは、定款または総社員の同意により、出資につき履行期が定めてあるときでも（商六八参照）、それと無関係に、出資をさせることができる（商一二六）。ただし、その出資請求額は、各社員の出資義務額に応じて、按分することを要する。これは、社員平等の原則上当然である（大判・大正六・八・三〇・民録二三輯一二九九頁、新商判集1一二六条一、後藤・百選二一〇頁参照）。

（c）　債務の弁済　会社は、清算を速かに結了するため、弁済期に至らない債務でも、その期限の利益を放棄して、弁済することができる（商一二五Ⅰ）。この場合には、無利息債権については、弁済のときから弁済期に至るまでの法定利息を加算して、当該債権額に達すべき金額を、弁済しなければならない（商一二五Ⅱ破四六条5）（一）。また利息附債権であって、その利率が法定利率に達しないものについては、法定利息と約定利息との差額を、右と同じ方法により、弁済することを要する（商一二五Ⅲ）。条件附債権または存続期間不確定な債権、その他、価額の不確定な債権については、裁判所の選任した鑑定人の評価に従って、弁済しなければならない（商一二五Ⅳ）。

一　この計算につき、大隅・上一〇九頁、西原・六九頁、田中誠・下八九〇頁、加藤・破産法要論七三頁、奥野他・株式会社法釈義四七四頁以下参照。

清算中の会社の財産が、その債務を完済するに不足なことが、明らかになったときには、清算人は、直ちに破産宣告の請求をして、その旨の公告をしなければならない（商一二四Ⅲ民八一Ⅰ）。そして、清算人が破産管財人にその事務を引渡したときは、その任務を終ったことになる（商一二四Ⅲ民八一Ⅰ）。また破産管財人は、清算人がすでに債権者に支払い、または帰属権利者に引渡したものを、取戻すことができる（商一二四Ⅲ民八一Ⅲ）。

（d）　残余財産の分配　残余財産とは、会社が債務を完済した後に、なお残存する積極財産をいう。残余財産の分配の標準は、まず、定款の定めによるべく、その定めがないときは、出資の価額による（商六八、民六八八Ⅱ）。分配の時期は、会社の債務を弁済した後である（商一三一本文）（これに違反した分配は、会社に取戻権を生ずる。大判・大正七・七・二・民録二四輯一三三一頁、新商判集1八〇条一一参照）（一）。ただし、争のある債務がある場合には、その解決後でなければ、残余財産の分配ができないことにすると、清算を速かに終結できないから、商法は、この種の債務について、弁済に必要な財産を留保して、残余財産の分配をすることを、妨げないものとしている（商一三一但書）。

清算人は、債務の弁済および残余財産の分配をするため、会社財産の換価処分ができる。しかし、会社の営業の全部または一部を譲り渡すためには、社員の過半数の同意をえなければならない（商一二七）。けだし、かような処分は、社員に重大な利害関係があるからである。

2　附随の事務　清算人は、その就任後遅滞なく、会社財産の現況を調査して、財産目録および貸借対照表を作り、これを社員に交付することを要する（商一三〇Ⅰ）。かつ、社員の請求があれば、毎月清算の状況を報告しなければならない（商一三〇Ⅱ）。右の財産目録および貸借対照表における財産の評価は、譲渡価格によることを要する。

3　清算事務の執行方法　清算人が数人あるときは、清算に関する行為は、その過半数の決議によって、これを決しなければならない（商一二八）。ただし、清算人が自己または第三者のために、会社と取引をする場合には、他の社員、もし清算人が社員でないときは、総社員の過半数の決議があることを要する（商一三五、七五）。

清算事務は、裁判所の監督をうけるとともに（非訟一三六ノ二、一三五ノ二五Ⅰ）、清算に関する事件は、本店所在地の地方裁判所の管轄に属する（非訟一三六）。

一一五　会社代表

1　代表権

(a)　業務執行社員が清算人となった場合には、従前の定めに従って会社を代表する（商一二九Ⅱ）。すなわち、各社員（商七〇）か、特定の代表社員（商七六）か、共同代表社員（商七七）かが、清算についても会社を代表する。

(b)　社員が数人の清算人を選択した場合には、その清算人が、各自会社を代表する。しかし、総社員の同意により、特定の代表者を定め、または共同代表について定めることができる（商一二九Ⅰ、七六、七七）。

(c)　裁判所が数人の清算人を選任する場合には、代表清算人を定め、または共同代表について、定めることができる（商一二九Ⅲ）。

2　代表権の範囲　会社を代表する清算人には、清算事務に関し、一切の裁判上または裁判外の行為をする権限がある（商一二四Ⅱ）。かつ、その権限に加えた制限は、これをもって善意の第三者に対抗することができない（商一三五、七八Ⅱ）。ただし、共同代表に関する定め（商一二九Ⅲ）、および営業の全部または一部の譲渡をする場合の制限（商一二七）は、対抗できる。

一一六　清算の結了

1　清算人は、その任務が終了したときに、遅滞なく計算をして、各社員の承認を求めなければならない（商一三三Ⅰ）。社員がこの計算に対して、一月内に異議を述べなかったならば、これを承認したものとみなされる。ただし、清算人に不正の行為があった場合は、このかぎりでない（商一三三Ⅱ）。

2　清算が結了したとき、清算人は、社員が計算を承認した後、本店の所在地においては二週間、支店の所在地においては三週間内に、清算結了の登記をしなければならない（商一三四）。この登記によって、会社の法人格が、完全に消滅する。もっとも、事実を伴わない結了の登記（例えば分配未了の財産の残存の場合）は、その効力がない（一）。ゆえに、清算結了の登記の更正または抹消の登記を、しなければならない（二）。

一　ゆえに、例えば弁済をうけなかった会社債権は存続する（大判・大正五・三・一七・民録二二輯三六四頁、東京地判・昭和三八・五・一八・判時三三八号四〇頁、新商判集1　一三四条一、一〇）。

二　東京控決・明治四一・二・二二・新聞四八四号一六頁、長野地飯田支判・昭和三三・八・三〇・下級裁民集九巻八号一七二頁、新商判集前掲七、八）。

一一七　清算人の権利義務および責任　　清算人と会社との関係は、委任に関する規定によってこれを決する（商一三五、二五四Ⅱ）。かつ清算人は忠実義務を負っている（商一三五、二五四ノ二）。

清算人の会社に対する債権については、委任の規定によって決する。報酬についてもそうである。ただ裁判所の選任した清算人の報酬は、裁判所がこれを決する（非訟一三八ノ三、一二九ノ三）。

清算人は社員と同様に、会社との取引につき、制限を受ける（商一三五、七五）。

清算人が、その任務を怠ったときは、その者は、会社に対し、連帯して損害賠償の責に任ずる（商一三四ノ二Ⅰ）。かつその任務懈怠につき、悪意または重過失があったときは、その清算人は、第三者に対してもまた、連帯して損害賠償の責に任ずる（商一三四ノ二Ⅱ）。

一一八　書類の保存　　会社の帳簿、ならびにその営業および清算に関する重要書類は、法定清算の場合には、清算結了の登記をなした後、一〇年間これを保存することを要する。その保存者は、社員の過半数の決議によってこれを決する（商一四三）。

第二章　合資会社

第一節　総　論

一一九　意　義　合資会社とは、無限責任社員と有限責任社員とからなる会社である（商一四六）。無限責任社員は、合名会社の社員と同じく、会社債務につき、一定の条件のもとに（商一四七、八〇）、会社債権者に対し、直接にかつ連帯して、無限責任を負うとともに、原則として、すべて業務執行および会社代表の権限を、有する者である。また、有限責任社員は、会社債務につき、一定の条件のもとに（商一四七、八〇）、会社債権者に対し、直接にかつ連帯して、その出資の価額を限度とする責任を負うとともに（商一五七）、会社の業務執行および会社代表について、全く権限がない者である（商一五一）。

一二〇　沿　革　合資会社は、一〇世紀頃、イタリアの商港で、海上貿易に関する企業形態として現われた、コムメンダ（commenda）（小町谷「船舶所有者の責任の史的変遷」海商法研究三巻六四頁以下参照）にその起源を有する。コムメンダは、資本家（commendator）が、商品または資金を企業者（tractator）に委託し、企業者は、自己の名において海上貿易を営み、その労務に対する報酬として、利益の分配にあずかるとともに、資本家が、企業の危険を負担する制度である。この制度はやがて、資本家と企業者とが、共同企業者として、共に企業の表面に現われるものと、資本家が、企業者の背後に、ますます退いてゆくものとを生じた。前者が、今日の合資会社の起源であり、後者が今日の匿名組合（商五三九）の起源である（なお、この制度の史的発展につき、本間輝雄「イギリス会社法形成史序説」経済理論六四号四〇頁以下参照）。

一二一　匿名組合との差異　合資会社は、企業を経営する無限責任社員と、資本を提供する有限責任社員とからなる共同企業体であるから、経済的には、匿名組合(商五三五以下)の機能をもつものである。しかし、法律的には、匿名組合と全く異なる。けだし、合資会社は法人であって、有限責任社員と無限責任社員とが、その構成員すなわち共同事業者である。そして有限責任社員も、会社の内部において、一定の範囲で、社員としての権利を有するとともに(商一五三、一六三、一四七参照)、外部に対しては、会社債権者に対して、一定の条件の下に(商一四七、八〇)、直接責任を負担する。これに反して、匿名組合は、出資をする匿名組合員と、商業を営む営業者との間の契約にすぎない。すなわち、外部的には、営業者だけが第三者と取引をするのであって、匿名組合員は、その第三者に対し、全く権利も義務もない者である(商五三六II)。要するに、合資会社では、有限責任社員も信用の基礎となるに反し、匿名組合では、匿名組合員が、全く信用の基礎にならないのである。

一二二　合名会社の規定の準用　　合資会社は、その沿革および経済的機能において、合名会社と全くちがうから、これを、合名会社の一変態であると解すべきではない。しかし、いずれも、社員の個性が重視されて、実質的に組合的な企業であるところに共通点がある。従って、立法技術の上からは、合資会社の無限責任社員については、これを合名会社の無限責任社員と同様に取扱いうるのみならず、無限責任社員と有限責任社員との関係や、有限責任社員相互間の関係についても、合名会社の規定の準用ができるものが多い。ゆえに商法は、合資会社について、特別の規定がある場合を除き、合名会社に関する規定を、準用することにしている(商一四七)。

第二節　設　　立

一二三　設立手続　　合資会社は、無限責任社員となるべき者と、有限責任社員となるべき者とが、定款を作成し(商一四七、六二)、設立の登記をなすことによって成立する(商一四七、五七)。

1　定　款　　合資会社の定款には、合名会社の定款の法定記載事項(商六三)のほか、各社員の責任が、有限または無限であることを記載し、各社員がこれに署名しなければならない(商一四八)。その社員は、有限責任社員と無限責任社員とが、各一名でもよい。

2　設立登記　合資会社の設立登記には、合名会社の設立登記事項(商六四)のほか、(a)各社員の責任が、有限または無限であること、(b)有限責任社員の出資の目的、その価格、およびすでに履行した部分を、登記しなければならない(商一四九Ⅰ、商登七四)。そして登記申請者は、会社を代表すべき社員である(商登七七、五五Ⅰ)。

登記事項の公告には、有限責任社員については、その員数および出資の総額を掲げるだけでよい(一)。変更の登記があったときも同様である(商一四九Ⅱ)(二)。

一　各有限責任社員の氏名や出資に関する詳細は、定款の登記によって明かであるから(商一四九Ⅰ2、商登一〇)、公告事項の簡易化と、費用の節約とを、目的としたものと思われる。有限責任社員が、その氏名の公告を好まないためという少数説(田中誠・下九八一頁)は、登記がある以上、十分な理由にならない(comp. Ripert et Roblot, n° 870)。

二　変更登記を求める訴の相手方は、無限責任社員ではなくて、会社である(青森地判・昭和三九・九・二五・下級裁民集九巻九号一九二八頁、新商判集1一四九条二)。

第三節　合資会社の法律関係

第一款　総　説

一二四　合資会社の法律関係は、合名会社と同様に、内部関係(会社と社員間および社員相互間)と、外部関係(会社と第三者間および社員と第三者間)とに分かれる。その内部関係に関する規定は任意規定である。そして定款または商法に規定がないときは、民法の組合に関する規定の準用がある。これに反して、外部関係に関する規定は強行規定である。これらのことは、いずれも合名会社と同様である(商一四七参照)。

有限責任社員の地位は、その責任が有限であることから、企業の経営にほとんど関与しない。またその個性が、無限責任社員に比べて、重視されない。このような地位の特異性に基づいて、有限責任社員に関する規定が、その特色を示している。

第二款　合資会社の内部関係

一二五　出　資　無限責任社員の出資の種類には、制限がない（商一四七、八九）。これに反して、有限責任社員は、規定の上からは、信用や労務の出資ができない（商一五〇）。そして通説は、この規定を強行法と解している（岡野・八〇頁、松本・一九四頁、鈴木・二六三頁、大森・六一頁、石井・下四三一頁、田中耕・上六一六頁、comp. Ripert et Roblot, n 874）。しかしこの規定は、内部関係に関するものであるから、定款の規定によって自由に変更ができる（大隅・上一一八頁、田中誠・下九八三頁）。かつ、会社債権者に対しては、有限責任社員も直接に責任を負うから、その利益を害するおそれがない（商一四七、八〇）（一）。詳言すれば、有限責任社員の出資の価額と、すでに履行した部分とは、登記事項であるとともに（商一四九I2）、まだ履行しない部分については、定款記載の評価方法に従って（商一四八、六三5）、価額の算出ができるから、会社債権者が、有限責任社員の財産に対して強制執行をするには、なんらの支障もない。

一　本文に掲げた岡野、松本両博士は、立法論として、任意規定とすべきことを認める。菅原は、出資義務の履行した分についての評価が困難であり、また記帳をどうするかの困難な問題が残り、社員の責任の限度があいまいになるので、任意規定説には賛成できない。

一二六　損益の分配　損益の分配は、定款の定めにより、または組合の規定の準用（商一四七、民六七四）によって、行なわれるわけであるが、有限責任社員は、会社債権者に対する責任が、有限であることのほかに（商一五七）、定款に損失も分担する旨の規定がないかぎり、会社の内部においても、損失を分担しないのであるかについて、疑がある。有限責任社員は、出資の割合に応じて損失を分担すると同時に、退社または解散のときには、たとえ持分が消極（負数）であっても、消極持分の払込義務を負わない意思で、共同事業に関与したものと解するのが、最も常識にかなった考え方であると信ずる(一)。換言すれば、有限責任社員の持分は、それが消極になったときは、次年度以後に分配をうける利益から、その消極部分を塡補した残額について、積極(正数)になるのである。そして、有限責任社員は、その消極部分の塡補ができない状態で退社しても、または会社が解散しても、負数の額につき、払込をする義務を負わないのである(二)。

一　表現方法に若干の差異があるけれども、これが通説である（岡野・八二頁、松本・六二頁、田中誠・下九八八頁、大森・五八頁）。田中耕・上一九六頁と大隅・上一二二頁とは、明確ではないが、損失を全く分担しない説のように見える。

二　定款で、有限責任社員の一定の出資額のほかに、さらに出捐する義務を負う旨を定めることは、もちろん妨げない（大判・大正五・四・七・民録二二輯六四七頁、新商判集1一四八条一）。

一二七　業務執行

(**a**)　会社の業務は、定款に別段の定めがないかぎり、各無限責任社員が、これを担当する権利と義務とをもっている(商一五一I)。そして無限責任社員が数人ある場合には、その過半数の決議によって業務の執行をする(商一五一II)。また定款に業務執行社員が定めてあっても、支配人の選任および解任は、無限責任社員の過半数の決議を要する(商一五二)。

(**b**)　商法は、有限責任社員が業務を執行することができない旨を、定めているけれども(商一五六)、定款の規定によって、有限責任社員に業務執行権を与えることを妨げない(最高判・昭和二四・七・二六・民集三巻八号二八三頁、新商判集1一五六条五)(一)。もっともそれは、代表権を伴わない業務執行権に限る。けだし、代表に関する事項は対外関係であって、定款で自由に変更することが、できないからである。

一　富山「有限責任社員に対する業務執行権の附与」百選一八〇頁、窪田「合資会社の有限責任社員の業務執行」（判批）法学一五巻四号九七頁参照。

一二八　競業禁止　無限責任社員は、競業を禁止されているが(商一四七、七四)、有限責任社員にはその制限がない(商一五五)。それは、この社員には、定款に別段の定めがないかぎり、業務執行権がなく、かつ、その監視権の範囲(商一五三)が、無限責任社員に比べてはなはだ限られているため、会社の営業上の秘密に通じないのが普通であり、会社と競業をしても、利益の衝突を生ずる機会が、少ないことによるのである。しかし、定款で業務執行権を与えられた有限責任社員には、商法第一五五条の適用がないと解しなければならない(商一四七、七四の類推適用)(田中誠・下九八七頁、大隅・上一二一頁)。

一二九　会社との取引　無限責任社員は、会社との取引を制限されている(商一四七、七五)。有限責任社員については、特に規定がないけれども、商法第一五五条の立法趣旨から類推して、この制限がないと解すべきである(大隅・上一二一頁。反対、田中誠・下九八七頁)。

一三〇　監視権　業務執行権のない無限責任社員には、合名会社の場合と同様に、監視権がある(商一四七、六八、民六七三)。また、有限責任社員は、営業年度の終りにおいて、営業時間内に限り、会社の財産目録および貸借対照表の閲覧を求め、かつ、会社の業務および会社財産の状況を、検査することができる(商一五三Ⅰ)。また重要な事由があるときはいつでも、裁判所の許可をえて、会社の業務および財産の状況を検査することができる(商一五三Ⅱ)(一)。この監視権は、「営業年度ノ終リニ於テ営業時間内ニ限リ」行使ができる点で、無限責任社員の監視権よりも、大きな制限を受けている。

業務執行社員が、他の社員の監視権の行使を妨げた場合には、過料の制裁を受ける(商四九八Ⅰ4)。

一　有限責任社員はこの監視権に基づき、会社の諸帳簿を執行官の保管に移す処分を、請求することができる(大判・昭和五・一二・六・新聞三二一〇号八頁、新商判集1一五三条一)。

一三一　社員の移動

1　入社　社員の入社に関しては、合名会社について述べたところと、全く同様である(一)。

一　有限責任社員の入社は、無限責任社員の同意だけで足りる旨の、定款の規定は有効である(大判・昭和一〇・二・九・法学四巻九一八頁、大決・大正七・一〇・二九・民録二四輯二〇七七頁、新商判集1一四七条五一、五二)

2　社員の退社に関しても、合名会社について述べたところと、大体同様である。ただ、有限責任社員については、その個性が比較的に重視されない結果、商法が特別の規定(商六一)を設けている(一)。

一　有限責任社員が、商法第一四七条第八四条の制限に従って退社するかぎり(商一四七参照)、その全員が同時に退社するため、会社に解散事由を生じても(商一六二条)、その退社は有効である(大判・昭和八・六・一〇・民集一二巻一四三一頁、新商判集1一四七条一二八。反対、大阪地決・明治四四・八・九・新聞七四三号二四頁、新商判集1八四条二)。有限責任社員全員の同時退社は、やむことを得ない事由があれば、権利濫用にならないという判例(大判・昭六・六・一・新聞三三〇一号一六頁、新商判集1一四八条一二七)は、上告論旨の権利濫用論に答えただけで、上掲の判例とちがう立場をとった、と解すべきではないと信ずる。無限責任社員が一人である合資会社において、それの除名により、会社の解散を招く場合に、その除名を無効とする決定がある(大決・大正一二・一・二〇・民集二巻一二頁、新商判集1八六条二)。これは、商法第一六二条を忘れたもので、失当である(大隅・上一二一頁。反対、田中誠・下九九三頁)。

判例はまた、合資会社の社員数名が、同時に退社の申出をした場合につき、退社の申出をした社員も、退社の効力を生ずるまでは社員の地位にいるから、各社員につき、その社員を除いた総社員の同意を要すると解している(最高判・昭和四〇・一一・一一・最高裁民集一九巻八号一九五三頁、新商判集2補遺一四七条二)。この方法によらないと、退社を認める多数決が、得られない事情があったのかも知れないけれども、商法第八四条および第一一二条の規定がある以上、この判旨は、無用の制限を設けるもののように思われる。

(a)　死　亡　有限責任社員の死亡は、退社の事由にならない。すなわち、その相続人がこれに代わって社員になる(商一六一Ⅰ)。相続人が数人ある場合には、その数人が共同して有限責任社員の資格を取得する。しかしそのときは、社員の権利を行使すべき者を一人定めなければならない(商一六一Ⅱ、二〇三Ⅱ)。もしそれをしなければ、会社の通知または催告は、その数人のうちの一人に対してなせば足りる(商一六一Ⅱ、二〇三Ⅲ)。

数人の相続人は、会社に対し、連帯して出資を履行する義務を負う(商一六一Ⅱ、二〇三Ⅰ)。

(b)　禁治産　有限責任社員は、禁治産の宣告を受けても退社しない(商一六一Ⅲ)。

3　持分の譲渡　無限責任社員が、その持分の全部または一部を譲渡するためには、有限責任社員をもふくめて、他の総社員の承諾を得なければならない（商一四七、七三）。これに反して、有限責任社員が、その持分の全部または一部を譲渡するためには、無限責任社員だけの全員の承諾があればよい（商一五四前段）。有限責任社員の持分の譲渡により、定款の変更を生ずる場合でも、同様である。すなわち、別に定款変更のための、総社員の同意を必要としない（商一五四後段）。かように、他の有限責任社員の承諾を要しないのは、相互に大きな利害がないためである(一)。

一　有限責任社員が、無限責任社員の持分の全部または一部を譲り受ける場合にも、その者は、無限責任社員になるのではなくて、その持分が増加するだけである（田中誠・下九八六頁。反対、大隅・上一二〇頁）。

一三二　定款変更　定款変更は、合名会社の定款変更に関する規定の準用によって行なわれる（商一四七、七二）。合資会社がその目的の範囲外の行為をする場合も同様である。ともに、総社員すなわち無限責任社員と有限責任社員との全員の同意を要する。ただし、定款で別段の定めをすることを妨げない(一)。

一　社員総会の決議による旨を定めることが、その一例である（大判・大正七・一〇・二九・民録二四輯二〇六八頁、新商判集1一四七条五〇、五二）。この判例の解説として、西山・百選二〇二頁参照。

第三款　会社の外部関係

一三三　会社代表　合資会社は、無限責任社員がこれを代表する（商一四七、七六）。かつ、有限責任社員は、会社を代表することができない（商一五六）。そして会社代表は、会社の外部関係に属するから、この制限は、定款によっても、変更することができない。したがって、もし代表権限のある無限責任社員（商一四七、七六但書参照）が、有限責任社員に変ったならば、代表権限が消滅する（大判・昭和一〇・三・四・民集一四巻三号二五九頁、新商判集1一五六条一）。また有限責任社員が会社を代表したならば、無権代理の規定を類推し、会社に対して効力を生じないものと、解すべきである（田中誠・下九八九頁）。しかし、有限責任社員を、支配人その他の代理人に選任することは妨げない(一)(二)。

一　無限責任社員から会社の経営を一任された有限責任社員が、会社を代表して手形を振出した場合には、会社の代理人として振出したものとみなされる場合が、多いであろう(名古屋地判・昭和三七・七・二一・判時三〇八号三〇頁、新商判集1一四七条五九)。フランスでは、有限責任社員の代理行為が禁止されている(一九六六年仏会二八)。

二 合資会社の代表社員に対する職務執行停止の仮処分決定は、当事者に対する告知により、第三者に対する関係においても、その効力を生ずる。そしてその仮処分決定に違反してなされた行為は、無効である(最高判・昭和四一・四・一九・最高裁民集二〇巻四号六八七頁)。

一三四 社員の責任

1 要件 社員は、無限責任社員たると、有限責任社員たるとを問わず、会社債権者に対して、直接にかつ連帯して責任を負担する。その責任の発生要件は、合名会社の場合(八八)と同じである(商一四七、八〇)。

2 有限責任社員に関する特例

(a) 有限責任社員は、その出資の価額を限度として、会社の債務を弁済することを要する。ただし、すでに会社に対して出資義務を履行したならば、その履行した価額については、責任を負う必要がない(商一五七I)(一)。これは、出資義務が有限であることの、当然の結果であるとともに、会社債権者は、登記によって(商一四九I1)有限責任の事実を知っている筈であるから、有限責任社員において、その責任が有限責任であること、およびその出資義務の全部または一部の履行をしたことを主張しても、不測の損害をうけることに、ならないのである。ただし、どれだけ履行したかは、有限責任社員が立証しなければならない(二)。

一 有限責任社員の責任について、昭和一三年の改正前には、規定がなかったため、それが直接責任なのか否かについて疑があり、大審院は、間接責任であると判示した(大判・大正五・四・七・民録二二輯六四七頁、新聞一一三九号二七頁、新商判集1一四八条一。フランスの判例と正反対である点が、興味深い。Ripert et Roblot, nº 876)。そして昭和一三年の改正法は、それが直接責任であることを明らかにした（商一五七Ⅱ。ただし、破二九参照）。合資会社も合名会社と同じく、個人企業的・組合的実質を有する点から見て、もちろんこの立場が妥当である（服部・提要一〇五頁は、株式合資会社を廃止した関係から、立法の当否を疑っている）。ドイツおよびベルギーの商法も、直接責任であることを明定している（独商一七一、ベ会社法二一）。

二　出資の目的が、金銭以外の財産であるときは、その給付が、登記した出資の価額に相当することを、証明しなければならない（松本・六三二頁、田中誠・下九九一頁、大隅・上一二四頁）。また債権を出資した場合には、その債権が、現実に弁済されたのでなければ、出資義務を履行したことにならない（大判・昭和一六・七・五・民集二〇巻一〇五七頁、新商判集１一四七条五六、一五七条一、田中誠・下九九一頁、伊沢・一八三頁、松田・三九二頁、大隅・上一二四頁、石井・下四三一頁。上掲判例の解説として塩田・百選一七八頁参照）。

(**b**)　合資会社の利益配当にも、合名会社と同様に、資本維持のためにする、法律上の制限（商二九〇参照）がない。しかし会社が、利益がないのに配当をした場合には、有限責任社員が受け取った配当金額を、その社員が会社に対してすでに履行した出資額から控除して、会社債権者に対する責任を決定する（商一五七Ⅱ）。けだし、かような配当は、実質的には、出資の払戻にほかならないからである。ただし会社債権者は、もちろん、右の事実を立証しなければならない。

(**c**)　定款の変更により、有限責任社員の出資を減少した場合には、その範囲において、その社員の責任が消滅するわけであるが、会社債権者の担保は、それだけ減少するから、商法は、会社債権者の保護のため、会社が本店の所在地において、出資減少の登記をなす前に生じた会社の債務について、従前の責任を免れることができないものとしている（商一五八Ⅰ）。ただしこの責任は、右の登記後二年内に、請求または請求の予告をしない会社債権者に対しては、登記後二年を経過したときに消滅する（商一五八Ⅱ、九三Ⅱ）。

3　責任の負担者（新入社員、退社員および自称社員の問題をふくむ）（九二）、弁済の効果（九一）については、合名会社の社員の責任についてと同じである。ただ、有限責任社員について、左の点を注意しなければならない。

(**a**) 有限責任社員が無限責任社員になった場合には、その変更前に生じた会社の債務についても、無限責任社員としての責任を、負わなければならない(商一六〇、八二)。

(**b**) 無限責任社員が有限責任社員となった場合には、その社員は、本店の所在地において、責任の変更の登記をする前に生じた会社の債務について、無限責任社員としての責任を、負わなければならない(商一六〇、九三)。

(**c**) 有限責任社員が、自分を無限責任社員である、と誤認させるような行為をしたときは、その社員は、誤認に基づいて会社と取引をした者に対し、無限責任社員と同一の責任を負わなければならない(商一五九Ⅰ)。また、有限責任社員が、その責任の限度を誤認させるような行為をした場合には、その社員は、誤認に基づいて会社と取引をした者に対して、誤認された限度まで責任を負わなければならない(商一五九Ⅱ)(一)(二)。

一 社員でない者が、有限責任社員として登記されているときは、会社に対し、社員でないことの確認と、登記の抹消とを、求償できる(大阪高判・昭和三六・四・一一・高裁民集一二巻四号七八八頁、東京地判・昭和三五・一一・四・下級裁民集一一巻一一号二三七四頁、新商判集1一四九条一)。けだし、自称社員の責任(商八三参照)を負う危険が、あるからである。

二 最高裁判所は、定款の上で無限責任社員になっている丙に対し、他の無限責任社員甲と有限責任社員乙とが、会社と共同しないで、丙が無限責任社員でないことの確認を求めた事案において、その利益がないことを、正当に判決した(最高判・昭和四二・二・一〇・最高民集二一巻一号一一二頁)一審、二審ともに同じ立場である。

第一審判決によると、丙は定款の上で、利益配当および残余財産の分配に対する請求権を、拋棄しているのであって(前掲判例集一二七頁)、定款が無効な典型的な実例である。昭和九年に設立登記ができたことに驚かされる。

第四節　解散・継続・組織変更および清算

一三五　解　散

1　合資会社の解散事由は、合名会社について述べたことと(九四)、大体同様である(商一四七、九四)。ただ、合資会社には、無限責任社員と有限責任社員とがあるから、その一方の社員の全員が退社した場合には、他方の社員が一人とならなくても、会社は解散する(商九四4参照)。しかしこの場合には、会社をさらに継続する方法がある(一三六)。

2　合資会社の解散登記についても、合名会社の規定が準用される(商一四七、九六、商登七七、六一)。

一三六　会社の継続　　合資会社は、商法第九五条または第九七条の準用によって、会社の継続をすることができるほか(商一四七)、次の場合にも継続ができる。

1　合資会社が、無限責任社員または有限責任社員の退社によって解散した場合には、残存する社員の一致により、新たに無限責任社員または有限責任社員を加入させて、会社を継続することができる(商一六二I但書)。

2　有限責任社員の全員が退社した場合には、無限責任社員の一致をもって、その会社を、合名会社として継続することができる(商一六二II)。この場合には、本店の所在地においては二週間、支店の所在地においては三週間内に、合資会社については解散の登記(商一四七、九六)を、また合名会社については設立の登記(商六四)を、なすことを要する(商一六二III、商登七八)。

一三七　組織変更

1　合資会社の組織変更は、二つの場合に行なわれる。

(a)　営業継続中に、その組織を変更する場合　　合資会社は、総社員の同意をもって、その組織を変更して、合名会社とすることができる(商一六三後段)。そしてその組織変更のために、有限責任社員の全員が無限責任社員となった場合には、これらの社員につき、商法第八二条が準用される(商一六〇前段)。また有限責任社員の一部が無限責任社員となり、残りが退社した場合には、前者には商法第八二条が、後者には商法第九三条が準用になる(商一六〇)。

(b) 解散事由が発生した場合　合資会社は、会社を継続する方法として、組織の変更ができる(一六三)。

2 組織変更の登記　組織変更があった場合には、その旨の登記を要するが、その方法は、解散事由発生の場合における組織変更の登記(商一六二Ⅲ)と同様である(商一六三後段、一六二Ⅲ、商登七八)。

一三八　清　算　合資会社においても、合名会社と同様に、任意清算が原則であって、法定清算は例外である。清算は、原則として、業務執行社員がこれを担当する。しかし、無限責任社員の過半数をもって、別に清算人を選任することができる(商一六四)(商一四七、一一六―一二〇、一二二―一四五、非訟一三六、一三六ノ二、商登七七、六二、六三参照)。

商法条文索引

昭和四十三年十一月五日　初版第一刷印刷
昭和四十三年十一月十日　初版第一刷発行

小町谷 商法講義 会社 (1)

著作者　小《こ》町《まち》谷《や》操《そう》三《ぞう》
　　　　菅《すが》原《わら》菊《きく》志《し》

発行者　江《え》草《ぐさ》忠《ただ》允《あつ》

101 東京都千代田区神田神保町二丁目十七番地
発行所　株式会社　有斐閣
電話東京（二六四）一三一一（大代表）
113 本郷支店　文京区東京大学正門前
606 京都支店　左京区北白川追分町一

印刷　株式会社 精興社
製本　明泉堂 製本所

小町谷 商法講義 会社(1)(オンデマンド版)

2015年4月15日　発行

著　者　小町谷　操三・菅原　菊志
発行者　江草　貞治
発行所　株式会社 有斐閣
〒101-0051　東京都千代田区神田神保町2-17
TEL　03(3264)1314(編集)　03(3265)6811(営業)
URL　http://www.yuhikaku.co.jp/

印刷・製本　株式会社 デジタルパブリッシングサービス
URL　http://www.d-pub.co.jp/

AH233

ISBN4-641-91614-4　Printed in Japan